Dear Debbie & Andy,

I know there are a million books about France & you probably own half of them, but we thought this one represented the area that we have lived in in an interesting way.

I can't begin to tell you how much we will miss you! We wish you the very best in your transition back to the states & in your future, in general. We'll stay in touch!

Love,
Nancy, Norm,
Christopher & Michael

Les Peintres et les Yvelines

Sogemo

Les Peintres et les Yvelines

Michel Péricard

avec la collaboration de Laure Blanchet

Peintres et départements
Collection dirigée par Michel Péricard

Aux Maires des Yvelines
qui protègent ces paysages
qu'ont tant aimé les peintres

Préface

Il m'est toujours agréable de préfacer un livre consacré aux Yvelines et celui-ci plus particulièrement puisqu'il s'agit de l'ouvrage de l'un de mes collègues du Conseil Général.

Michel Péricard a fait là œuvre d'artiste. Il a su montrer qu'il aimait et connaissait bien la peinture dont il nous parle. Il a souvent été dit que notre département était une terre de peintres... Il ne suffit pas de le dire, il vaut encore mieux le démontrer. Car dénombrer, c'est protéger, c'est faire aimer. Cette démarche est celle du Conseil Général : c'est elle qui nous guide quand nous organisons le festival Arts et Architecture ou le Salon des Salons.

Mais, aussi bien que l'art contemporain, nous voulons préserver et promouvoir notre mémoire locale. Ce Musée Imaginaire des Yvelines, si je peux me permettre d'emprunter cette expression à Malraux, illustre parfaitement notre volonté de mettre en valeur l'héritage que nous avons reçu. L'histoire nous laisse des documents, des textes, des objets, des images : elle ne vit que par la fidélité de l'âme.

Jusqu'au XIXᵉ siècle, les peintres n'ont guère été attirés par la nature en elle-même : ils la préféraient policée, vernissée par la main de l'homme ou lui servant d'encadrement. C'est la petite religieuse, Madeleine de Boullongne, qui nous montre les bosquets ou les charmilles de Port-Royal : ils ne sont là que pour faire admirer les sœurs. Hubert Robert ou Louis-Gabriel Moreau peignent les fontaines de Marly ou des pastorales.

Les artistes ne s'établissent vraiment chez nous, comme ailleurs, qu'au siècle dernier : Meissonier à Poissy, les Impressionnistes, de Pissarro à Cézanne, sur les bords de la Seine, à Louveciennes, à Chatou. C'est l'École de Chatou qu'illustrent Monet et Renoir. C'est, plus près de nous dans le temps, Derain à Chambourcy, Maurice Denis à Saint-Germain-en-Laye.

Arrêtons-nous sur Maurice Denis, c'est un peu le « chouchou » de notre Conseil Général : n'avons-nous pas repris son Prieuré pour en faire le Musée départemental ? À côté de nombreuses de ses œuvres, ses amis « Prophètes » et Symbolistes s'y retrouvent, de Gauguin à Bonnard, en passant par Vuillard, Sérusier et j'en oublie bien sûr…

Ce catalogue raisonné nous offre un inventaire, nécessairement incomplet, mais précis. Puisse-t-il apporter à tous ceux qui le feuilleteront, la même joie qu'ont ressentie certainement ces peintres à chanter nos Yvelines, eux qui ont été heureux de vivre, de travailler, et de ceux qui sont morts dans ce « petit coin de terre » que nous aimons tous.

Paul-Louis Tenaillon
Président
du Conseil Général des Yvelines
Député des Yvelines

Introduction

Ce livre n'a naturellement rien à voir avec la politique. Cependant, c'est à l'occasion d'une campagne pour des élections législatives que l'idée m'en est venue.

La loi électorale en vigueur en 1986 m'avait conduit à parcourir le département des Yvelines dans son ensemble pour rendre visite aux 262 communes qui le composent.

Quel émerveillement ! que de paysages magnifiques, découverts à quelques centaines de mètres d'axes routiers surchargés dont je ne m'étais guère écarté jusqu'alors. Je compris pourquoi tant de peintres avaient été séduits par notre région et pourquoi nos élus, du moins les meilleurs, étaient si attentifs à préserver la beauté de cet environnement.

J'étais bien loin de « la France défigurée » que j'avais combattue durant tant d'années.

Une étude des principaux tableaux inspirés par ce qu'on n'appelait pas encore les Yvelines, acheva de me convaincre. Paradoxe apparent : la peinture me réconciliait avec les paysages.

Bonnières

Rolleboise

Rosny s/Seine

Mantes-la-Jolie

Meulan

Les Mureaux

Andrésy

OISE

Conflans-Ste-Honorine

Maisons-Laffitte

Poissy

SEINE

Le Vésinet

St-Germain-en-Laye

Chatou

Croissy-sur-Seine

Bougival

Louveciennes

Marly-le-Roi

Septeuil

Versailles

Houdan

Monfort-l'Amaury

Trappes

Dampierre

La Boissière-Ecole

Cernay-la-Ville

Rambouillet

Pourtant, jusqu'à la fin du XVIIIe siècle, le paysage est resté un genre mineur. Il ne se justifie qu'en fonction d'une référence historique, mythologique ou décorative. Ce sont les philosophes du siècle des Lumières qui vont lui donner ses lettres de noblesse. Rousseau, Bernardin de Saint-Pierre, Chateaubriand, prônent le retour de la nature et insistent sur le rôle de la campagne dans l'évolution des sentiments, des rêveries, de l'Homme.

Si la peinture paysagiste fait au début encore appel au style héroïque ou au style « champêtre » ou « pastoral » une première étape est marquée par la création en 1816 d'un grand prix de Rome du paysage qui sera décerné jusqu'en 1863.

C'est d'une certaine façon une reconnaissance de la peinture du paysage par l'Académie. Cependant, ce n'est pas encore une victoire et la conquête sera lente et progressive. Dans cette évolution, l'Angleterre va jouer un rôle important par une approche « plus directe et plus libre de la nature », qui doit beaucoup à la pratique fort prisée outre-Manche de l'aquarelle.

Ce sera pour le public et les artistes français la révélation du salon de 1824 où sont exposées les toiles des paysagistes anglais Constable et Bonington émules de Turner encore inconnu en France. Leurs paysages ne servent plus de décor d'accompagnement mais deviennent le sujet même du tableau. Ils sont un poème à la nature. C'est une révélation. Elle offusque l'Académie, elle passionne les jeunes peintres, elle va inspirer l'art pictural du XIXe siècle.

Une seconde étape sera marquée par la fondation à Barbizon en 1836 de l'École paysagiste française qui comprendra Corot et les peintres de Barbizon (Daubigny, Harpignies).

Leur souci de vérité les conduit à rechercher un contact direct avec la nature, à fuir leur atelier, pour « peindre sur le motif ». Nombreux furent leurs élèves, qu'ils entraînèrent dans leur sillage. Dans l'ombre de ceux qui les ont précédés comme de ceux qui les suivirent, ces « petits maîtres », que Germain Bazin appelle « les naufragés de l'histoire de l'Art », sont un jalon important pour mieux comprendre l'évolution du paysage, du classicisme aux prémices de la peinture moderne. Ils ont peint sur les bords de Seine, dans la Vallée de Chevreuse et fondé des écoles locales (Cernay, Rolleboise).

Dans la deuxième moitié du XIXe siècle l'apparition de la photographie renouvelle la vision. L'essor des chemins de fer (la première ligne de voyageurs est ouverte entre Paris et Le Pecq puis Saint-Germain-en-Laye en 1847) facilite les déplacements des citadins fuyant la ville pour leurs loisirs. La commodité de ce moyen de transport fut déterminante dans le choix de sites nouveaux : Bougival, Louveciennes, Marly-le-Roi, Chatou deviennent le berceau de l'Impressionnisme. Attachés au même idéal de simplicité que leurs aînés, les Impressionnistes réalisent l'ultime conquête du paysage. Ils fixent les jeux de la lumière, l'alternance des saisons, l'évolution de la nature au long des heures de la journée. Ils introduisent dans leurs œuvres les activités des « banlieues » et les moyens de transport (chemin de fer, routes, ports, fleuves).

Les Impressionnistes furent suivis par les Pointillistes (Luce), les Nabis (Denis, Vuillard, Bonnard) et les Fauves (l'école de Chatou : Derain et Vlaminck).

C'est donc une véritable invitation à parcourir notre département des Yvelines que nous adressent les pages de ce livre.

Michel Péricard

Les
sites

Si la peinture est une folie,
c'est une folie douce que les hommes doivent
non seulement pardonner, mais rechercher.
MOREAU NELATON, CARNETS

Le premier mérite d'un tableau
est d'être une fête pour l'œil.
DELACROIX

J'aime l'art d'aujourd'hui
parce que j'aime aussi la lumière.
APOLLINAIRE

Celui qui se perd dans sa passion
a moins perdu que celui qui a perdu sa passion
ST AUGUSTIN

Renefer (Raymond Fontanet, dit…)
(1879-1937)
Le village d'Andresy vu de l'île
Collection privée

Frank Boggs
(1855-1926)
Autouillet sous la neige, 1902
Collection Brame

Claude Monet
(1840-1926)
Au bord de l'eau, Bennecourt, 1868
Chicago, Art Institute, coll. Palmer

Ferdinand Roybet
(1840-1920)
Olympe Hériot et son entourage
Château de La Boissière-École

Paul Cézanne
(1839-1906)
Vue de Bonnières
Aix-les-Bains, Musée Faure

Berthe Morisot
(1841-1895)
Pasie cousant dans le jardin à Bougival, 1881
Musée de Pau

Eugène Manet et sa fille au jardin, 1883
Collection privée

Pierre-Auguste Renoir
(1841-1919)
La danse à Bougival
Etats-Unis, Boston, Museum of Fine Arts

Claude Monet
(1840-1926)
Glaçons sur la Seine à Bougival, vers 1867
Paris, Musée d'Orsay

Maurice de Vlaminck
(1876-1958)
Quai de Seine à Bougival
Musée d'Art Moderne de la Ville de Paris

Alfred Sisley
(1839-1899)
La Seine à Bougival, 1873
Paris, Musée d'Orsay

Charles Meissonier
(1844-1917)
L'été (Baignade à Carrière-sous-Poissy)
Musée d'Histoire de Poissy

Claude Monet
(1840-1926)
Carrières-Saint-Denis, 1872
(l'actuelle Carrières-sur-Seine)
Paris, Musée d'Orsay

Alfred Sisley
(1839-1899)
Allée de châtaigniers près de La Celle-Saint-Cloud
États-Unis, Southampton Art Gallery and Museums

Henry Harpignies
(1819-1916)
La Mare en forêt (Vaux-de-Cernay)
Sceaux, Musée de l'Ile-de-France

Léon Germain Pelouse
(1838-1891)
Le Matin dans la vallée de Cernay
Musée de Dunkerque

Jean Achard
(1807-1884)
La Cascade du ravin de Cernay-la-Ville
Musée municipal de Fontainebleau

Emmanuel Lansyer
(1835-1893)
La Cascade de Cernay, 1869
Loches, Musée Lansyer

André Derain
(1880-1954)
Les Chèvres de Chambourcy, 1948-1949
Musée d'Art Moderne de la ville de Paris

Renefer (Raymond Fontanet, dit…)
(1879-1957)
Rue du Chapitre à Chanteloup-les-Vignes
Collection privée

André Dunoyer de Segonzac
(1884-1974)
La Seine à Chatou
Collection privée

Maurice Leloir
(1853-1940)
La Maison Fournaise
Mairie de Chatou

André Derain
(1880-1954)
Sous-bois à Chatou, 1905
Collection privée

Auguste Renoir
(1841-1919)
Le Déjeuner des canotiers, 1880-1881
Washington, Philipps collection

Auguste Renoir
(1841-1919)
Les Canotiers, 1879
Washington, National Gallery of Art

Auguste Renoir
(1841-1919)
La Seine à Chatou
Canada, Toronto, Musée des Beaux-Arts de l'Ontario

Maurice de Vlaminck
(1876-1958)
Le Pont de Chatou, 1906
Saint-Tropez, Musée de l'Annonciade

André Dunoyer de Segonzac
(1884-1974)
Les Vergers de Chavenay
in Virgile, *Les Géorgiques,* Paris, B.N.

Émile Lambinet
(1813-1877)
Le cours de l'Yvette, 1865
Besançon, Musée des Beaux-Arts et d'Archéologie

Jean Desbrosses
(1835-1906)
Civry-en-Forêt
Rosay, collection M. Le Roy

Camille Pissarro
(1830-1903)
Le Chalet, maison rose, 1870
Paris, Musée d'Orsay

Renefer (Raymond Fontanet, dit...)
(1879-1937)
Paysage à Conflans-Sainte-Honorine
Collection privée

Antoine Chintreuil
(1814-1873)
La ferme de Courgent
Pont-de-Vaux (Ain), Musée Chintreuil

Claude Monet
(1840-1926)
La Grenouillère, vers 1869
New-York, Metropolitan Museum

Auguste Renoir
(1841-1919)
La Grenouillère
Stockholm, National Museum

Maurice Utrillo
(1883-1955)
L'Église de Croissy
Galerie Pétridès

François Edme Ricois
(1795-1881)
Le Château de Dampierre en 1848
Sceaux, Musée de l'Ile-de-France

Édouard Vuillard
(1868-1940)
Paysage à l'Étang-La-Ville
Paris, Musée d'Orsay

Portrait de Ker-Xavier Roussel dans son atelier
Musée d'Art Moderne de la Ville de Paris

Victor Vignon
(1847-1909)
Chemin des Frileuses à Évecquemont
Paris, Musée d'Orsay

André Dunoyer de Segonzac
(1884-1974)
Feucherolles en hiver
Sceaux, Musée de l'Ile-de-France

Alfred Veillet
(1882-1958)
La Seine à Freneuse
Collection privée

Alfred Veillet
(1882-1958)
Église de Goupillères
Collection privée

Pierre Prins
(1838-1913)
Meules à Grosrouvre, 1873
Collection privée

Alfred Veillet
(1882-1958)
Bras de Seine à Guernes
Collection privée

André Dunoyer de Segonzac
(1884-1974)
Guyancourt
Sceaux, Musée de l'Ile-de-France

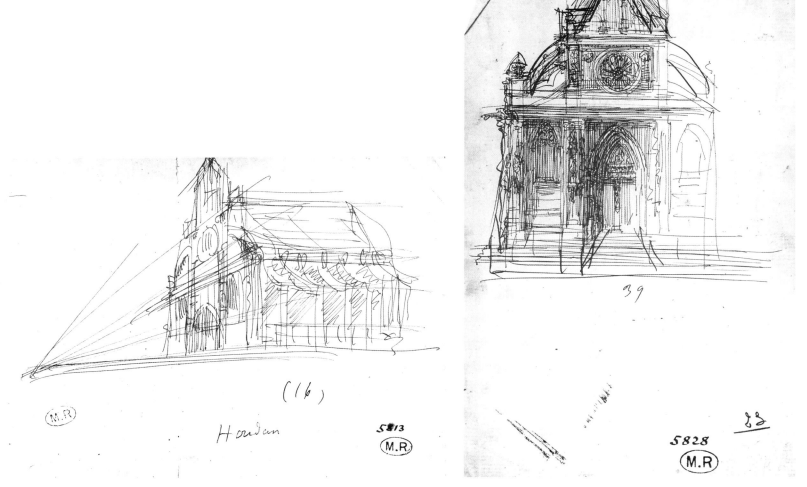

Auguste Rodin
(1840-1917)
L'Église Saint-Jacques
et Saint-Christophe à Houdan,
dessin à l'encre brune, entre 1890 et 1897
Paris, Musée Rodin

Façade de l'Église Saint-Jacques
et Saint-Christophe à Houdan,
dessin à l'encre noire, entre 1890 et 1897
Paris, Musée Rodin

Maurice Utrillo
(1883-1955)
Église de Houilles
Galerie Pétridès

Alfred Veillet
(1882-1958)
La Seine à Jeufosse
Collection privée

André Dunoyer de Segonzac
(1884-1974)
Jouy-en-Josas
Collection privée

Claude Monet
(1840-1926)
Lavacourt, Soleil et neige, 1881
Londres, National Gallery

Alfred Sisley
(1839-1899)
La Neige à Louveciennes, 1878
Paris, Musée d'Orsay

61

Camille Pissarro
(1830-1903)
La route de Louveciennes, 1870
Paris, Musée d'Orsay

Louis Français
(1814-1897)
Coupe de bois à Louveciennes
Musée municipal de Fontainebleau

63

Jean-Maxime Claude
(1824-1904)
Le Château de Maisons-Laffitte, 1888
Château de Maisons-Laffitte

Albert Lebourg
(1849-1928)
Bords de Seine près de Maisons-Laffitte
Collection privée

Maximilien Luce
(1858-1941)
La Seine à Mantes
Mantes, Musée M. Luce

Charles-François Daubigny
(1817-1878)
Les bords de la Seine à Mantes
Nantes, Musée des Beaux-Arts

Jean-Baptiste Camille Corot
(1796-1875)
Le Pont de Mantes
Paris, Musée du Louvre

Alfred Sisley
(1839-1899)
La route de Mantes, 1874
Paris, Musée du Louvre

Joseph Mallord William Turner
(1775-1851)
Mantes
Londres, Tate Gallery

Victor Deroy
(† 1906)
*Le chemin de fer de grande ceinture de Paris :
le viaduc de Mareil,* gravure
Musée - Promenade de Marly-le-Roi - Louveciennes

Camille Pissarro
(1830-1903)
Vue de Marly-le-Roi, 1870
Zurich, collection Bührle

Édouard Vuillard
(1868-1940)
Portrait de Maillol dans son jardin à Marly
Musée d'Art Moderne de la Ville de Paris

Alfred Sisley
(1839-1899)
Sous la neige, cour de ferme à Marly-le-Roi, 1876
Paris, Musée d'Orsay

L'Abreuvoir de Marly, 1875
Chicago, The Art Institute

Maurice Denis
(1870-1943)
Aqueduc de Marly, 1898
Collection privée

Berthe Morisot
(1841-1895)
Les Lilas à Maurecourt, 1874
Collection privée

Paul Cézanne
(1839-1906)
Le Château de Médan
Grande-Bretagne, Glasgow, coll. Burrel

Maximilien Luce
(1839-1899)
La plage à Méricourt
Mantes, Musée M. Luce

Joseph Mallord William Turner
(1775-1851)
Meulan
Londres, Tate Gallery

Gustave Ravanne
(1854-1904)
Le Pont aux perches de Meulan
Mairie de Meulan

Berthe Morisot
(1841-1895)
Mezy en automne
Collection privée

Antoine Chintreuil
(1814-1873)
Pêcheur à l'étang de Millemont
Collection privée

Antoine Chintreuil
(1814-1873)
La Côte de Montchauvet
Rennes, Musée des Beaux-Arts

 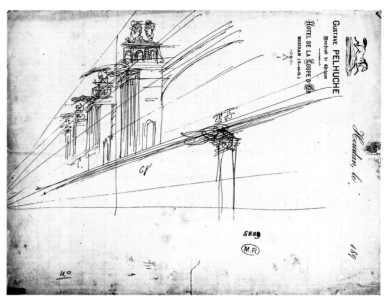

Auguste Rodin
(1840-1897)
*Contreforts de l'église Saint-Pierre
à Montfort-L'Amaury,*
dessin à l'encre brune, entre 1890 et 1897 (?)
Paris, Musée Rodin

*Arcs-boutants de l'église Saint-Pierre
à Montfort-L'Amaury,*
dessin à l'encre noire, entre 1890 et 1897
Paris, Musée Rodin

Maurice Utrillo
(1883-1955)
Montfort-L'Amaury, Maison de G. Kahn
Genève, collection Salmanowit

Alfred Veillet
(1882-1958)
La Seine aux Mureaux
Collection privée

Alfred Sisley
(1839-1899)
Le clocher de Noisy-le-Roi : automne, 1874
Grande-Bretagne, Glasgow, coll. Burrell

Maurice Denis
(1870-1943)
Viaduc du Pecq vu de l'ancien pont du Pecq, vers 1898
Collection privée

André Derain
(1880-1954)
Le Pecq, 1905
Paris, collection privée

Ernest Meissonier
(1815-1891)
Intérieur de l'atelier d'été
Musée d'Histoire de Poissy

Claude Monet
(1840-1926)
Pêcheurs à la ligne sur la Seine à Poissy, 1882
Vienne, Kunsthistorisches Museum

Charles Meissonier
(1844-1917)
Lavoir à Poissy
Musée d'Histoire de Poissy

Renefer (Raymond Fontanet, dit…)
(1879-1957)
Sur le motif (à Poissy)
Collection Pierre Bourut

Alfred Sisley
(1839-1899)
Inondation à Port-Marly, 1876
Paris, Musée d'Orsay

Claude Monet
(1840-1926)
Brume sur la Seine
(ou *La Seine à Port-Villez*), 1894
Rouen, Musée des Beaux-Arts

James Forbes
(1749-1819)
Vue du Château de Rambouillet avec les Ecuries royales, 1803
Sceaux, Musée de l'Ile-de-France

Jean-Jacques Champin
(1796-1860)
*Chasse royale à l'Etang de la Tour
en forêt de Rambouillet,
le 18 septembre 1826*
Sceaux, Musée de l'Ile de France

Jean-Baptiste Camille Corot
(1796-1875)
L'Église de Rolleboise, près de Mantes
Paris, Musée du Louvre

Alfred Veillet
(1882-1858)
Péniches à Rolleboise
Collection privée

Jean-Baptiste Camille Corot
(1796-1875)
Rosny, le château de la duchesse de Berry, 1840
Paris, Musée du Louvre

Isidore Deroy
(1797-1886)
Rosny vu du village de Rolleboise
Sceaux, Musée de l'Ile-de-France

Ernest Meissonier
(1815-1891)
Au Tournebride
ou *Tournebride en forêt de Saint-Germain*, 1860
Paris, Musée d'Orsay

Édouard Detaille
(1848-1912)
Revue des Guides dans le parc
de Saint-Germain-en-Laye,
le 15 août 1866,
gouache et aquarelle, 1912
Paris, Musée de l'Armée

Maurice Denis
(1870-1943)
Le Dessert au jardin
Saint-Germain, Musée du Prieuré

Autoportrait devant le Prieuré
Saint-Germain, Musée du Prieuré

Joseph Mallord William Turner
(1775-1851)
Vue de Saint-Germain-en-Laye
Paris, Musée du Louvre

François Bonvin
(1817-1887)
Convalescence, 1880
Saint-Germain, Musée municipal

Intérieur, rue des Coches, 1880
États-Unis, Savannah (Géorgie),
Telfair Academy of Arts & Sciences

Henri Rousseau dit **Le Douanier**
(1844-1910)
Promenade en forêt de Saint-Germain, 1886
Zürich, Kunsthaus Museum

Antoine Chintreuil
(1814-1873)
Paysage, le Val d'Enfer (Etude au Léopard), 1893
Mairie de Septeuil, dépôt Musée du Louvre

Antoine Chintreuil
(1814-1873)
Les Fonds de Tacoignières
Collection privée

Frank Boggs
(1855-1926)
Thoiry
Collection Brame

André Dunoyer de Segonzac
(1884-1974)
La Seine à Triel
Sceaux, Musée de l'Ile-de-France

Pierre Bonnard
(1867-1947)
Le Train et les chalands, 1909
Léningrad, Musée de l'Ermitage

Pierre Bonnard
(1867-1947)
Premier Printemps, Les petits faunes, 1909
Léningrad, Musée de l'Ermitage

Eugène Lami
(1800-1890)
*Souper donné par Napoléon III en l'honneur de la
Reine Victoria dans l'Opéra du Château de Versailles le
25 août 1855*
Paris, Musée d'Orsay

Henri Le Sidaner
(1862-1939)
Façade du Musée Lambinet, un soir d'automne
Versailles, Musée Lambinet

Henri Le Sidaner
(1862-1939)
Roses du Trianon
Paris, Musée du Petit Palais

Maurice Utrillo
(1883-1955)
Trianon
Genève, collection privée

André Dunoyer de Segonzac
(1884-1974)
La Chapelle du Château de Versailles
Versailles, Musée Lambinet

Édouard Vuillard
(1868-1940)
La Chapelle du Château de Versailles, 1918-1928
Paris, Musée d'Orsay

Camille Pissarro
(1830-1903)
Les Coteaux du Vésinet, 1871
Paris, Musée d'Orsay

Maurice Utrillo
(1883-1955)
Notre Jardin
(route des bouleaux, au Vésinet)
Galerie Pétridès

Frank Boggs
(1855-1926)
L'Église de Vicq
Collection Brame

Bardelle, 1904
Collection Brame

Maurice Utrillo
(1883-1955)
Église de Villennes-sur-Seine
Galerie Pétridès

André Dunoyer de Segonzac
(1884-1974)
La campagne de Villepreux en juin
Sceaux, Musée de l'Ile-de-France

Maurice Utrillo
(1883-1955)
Église de Viroflay
Galerie Pétridès

Alfred Sisley
(1839-1899)
Le village de Voisins, 1874
Paris, Musée d'Orsay

Camille Pissarro
(1830-1903)
Entrée du village de Voisins, 1872
Paris, Musée d'Orsay

Les
peintres

Cet ouvrage n'a pas la prétention d'être un répertoire complet
de tous les artistes et de tous les tableaux réalisés
dans les Yvelines et sur les Yvelines.

Notre choix peut sembler arbitraire,
mais nous avons essayé de donner l'image la plus représentative
de la peinture inspirée par les paysages
de notre département.

Jean-Alexis Achard

(1807 - 1884)

Jean Achard naît à Voreppe (Isère) et passe une grande partie de sa vie dans la région dauphinoise.

Il rencontre Corot et Daubigny à Crémieu, le «Barbizon du Dauphiné » et, excellent paysagiste, forme de nombreux élèves dont Harpignies.

Lorsqu'il s'échappe des compositions un peu convenues qui tiennent encore du «paysage historique», il nous donne tantôt des montagnes terrifiantes à la Gustave Doré, tantôt des prairies humides et des coins de forêt agrestes.

De 1860 à 1870, il vit à Cernay et s'il reste dans les annales du pré-impressionnisme comme une figure importante de l'école de Grenoble, les amoureux de Cernay peuvent avec raison le revendiquer comme un des leurs, car il laisse de nombreux dessins, peintures ou aquarelles exécutés sur le motif, en compagnie de ses amis Lansyer, Pelouse, Français ou Harpignies.

On peut voir des œuvres de Achard principalement au Musée de Grenoble mais également dans d'autres musées de province (Besançon, Fontainebleau, le Havre, Nantes, Pau, Valence).

Voir tableau p. 29.

Frank Boggs

(1855 - 1926)

Peintre paysagiste, dessinateur et aquarelliste, Boggs est né aux États-Unis, à Springfield dans l'Ohio. Son père est un des principaux actionnaires de l'*Evening Sun* de New-York.

Très tôt Boggs commence à dessiner et oriente ses débuts de carrière vers le théâtre pour lequel il exécute des décors et des costumes. C'est d'ailleurs en compagnie d'un décorateur de théâtre qu'il décide à 16 ans de venir à Paris.

Il s'inscrit à l'École des Beaux-Arts et entre à l'atelier Gérôme, peintre de grande réputation pour sa peinture académique et détracteur impitoyable des Impressionnistes. Boggs y reste à peine un an, juste le temps d'acquérir quelques notions élémentaires de base, puis s'échappe vers la liberté de l'extérieur, la nature, le paysage qui deviennent le sujet essentiel de son œuvre.

Dès lors, il se fixe en France et ne retourne que pour quelques expositions aux États-Unis où les premières critiques (1878) sont encore très méfiantes à l'égard de cette peinture « d'extérieur » *(out of doors)* qui sévit à Paris et dont la palette claire, aux traits vifs et enlevés des paysages de Boggs est un exemple qui intrigue.

À Paris, il expose régulièrement au Salon des Artistes Français et sa première toile achetée par l'État en 1882 (*La Place de la Bastille*, Musée de Compiègne) marque le début de sa renommée en France qui surpassera toujours celle qu'il aura dans son pays natal. Il faut dire que cet Américain à Paris est devenu un véritable amoureux de la capitale où il occupera de multiples ateliers, au gré de son engouement ou de son inspiration et dont témoignent les nombreuses toiles peintes dans tous les quartiers de Paris.

Ses aquarelles très nombreuses, très nuancées, d'une touche ferme et précise forment la partie la plus importante de son œuvre, Boggs peint aussi beaucoup en Normandie, Belgique, Hollande, attiré par la lumière du Nord, les grands ciels nuageux et pluvieux, l'animation des ports, les marchés colorés des petites villes.

En 1903, sans doute influencé par le grand marchand de tableaux parisien Hector Brame qui possède une demeure dans le village d'Autouillet près de Thoiry, Boggs y acquiert lui-même une maison. Durant des années, il va planter son chevalet dans les proches alentours, Vicq, Thoiry, Villiers-le-Mahieu, La Bardelle et présenter des vues de la charmante église d'Autouillet lors d'une exposition en 1911 à Paris sur les Églises de France.

Il peint également *Le marché à Houdan, La Seine et la Cathédrale* à Mantes et *La route de Pontchartrain*.

Il est mort à Meudon. La Bibliothèque Nationale (Cabinet des estampes), les musées Carnavalet, de Compiègne, Meudon, Mulhouse, Nantes, Niort et Sceaux conservent des eaux-fortes, aquarelles ou peintures de Frank Boggs.

Voir tableaux p. 16, 106, 118.

Pierre Bonnard

(1867 - 1947)

Bonnard est né à Fontenay-aux-Roses dans les Hauts-de-Seine. Son père, d'origine dauphinoise, est chef de bureau au Ministère de la Guerre. Sa mère est alsacienne.

La vocation du peintre se manifeste, ou plutôt se décide tardivement. Car malgré son goût pour le dessin et la peinture, Bonnard poursuit des études sérieuses, passe son bac et obtient à vingt ans une licence en droit.

C'est à cette époque, 1887, qu'il s'inscrit à l'Académie Jullian où il rencontre Maurice Denis et Paul Sérusier, puis l'année suivante — et cette fois c'en est fini de sa carrière présumée dans l'Administration — il entre à temps complet à l'École des Beaux-Arts. Il y rencontre Ker Xavier Roussel et Vuillard qui deviendra son meilleur ami. Il est tout juste majeur et dorénavant il ne va plus cesser de peindre jusqu'à la fin de ses jours.

Si Bonnard achète en 1912 une petite maison (« Ma Roulotte ») à Vernonnet dans l'Eure, puis en 1925 une propriété au Cannet dans le Midi, où il passera la dernière partie de sa vie, il est en quelque sorte lié aux Yvelines par son amitié avec le Saint-Germanois Maurice Denis et son appartenance, pendant les premières années de sa vie de peintre, au mouvement Nabi (voir Maurice Denis). Durant quinze ans, il quittera Paris à la belle saison pour s'installer à la campagne non loin de son ami.

C'est ainsi qu'en 1900, il passe l'été à Montval près de Marly-le-Roi. En 1904 et 1906, il est à l'Étang-la-Ville où habite un autre Nabi, K.X. Roussel. En 1907 il travaille à Vernouillet, en 1909 à Médan et pendant la guerre de 1914, demeure à Saint-Germain-en-Laye.

De toutes ces périodes, il ne nous laisse que très peu de paysages bien nommés, si ce n'est ceux de Vernouillet, mais il travaille beaucoup, il illustre des livres (*Parallèlement* de Verlaine), peint des jardins paradisiaques (*Femmes au Jardin*, 1891), des intérieurs éclatants (*La salle à manger de campagne*, 1913), et sans le savoir encore, immortalise Marthe, sa compagne (il l'épouse en 1925) dans des nus aux couleurs miroitantes, débordants de charme et de grâce, saisis dans les attitudes naturelles des mouvements de tous les jours.

Le talent de Bonnard est rapidement reconnu. En 1896 il fait sa première exposition chez Durand-Ruel et peu à peu il sera exposé et vendu dans toute l'Europe et aux États-Unis. Pourtant, la tête ne lui tourne pas, il reste lui-même indépendant, discret, solitaire et dans sa maison du Cannet, jusqu'aux derniers jours de sa vie, il cherche uniquement à faire quelque chose de personnel. Il a réussi, il est devenu Bonnard, l'un des plus grands coloristes des temps modernes.

Voir tableaux p. 108 et 109.

François Bonvin
(1817 - 1887)

Le grand public, accaparé par les importants mouvements qui ont révolutionné la peinture au XIXe siècle, oublie de donner une place au peintre Bonvin. Pourtant la peinture de genre dans laquelle il excelle, à contre-courant de son époque, déborde d'un charme émouvant, empreint d'une humble docilité devant la réalité de ses sujets. Et tandis que ses contemporains et confrères, Th. Rousseau, Corot, Millet ou Daubigny ne jurent que par le plein air et fondent l'École de Barbizon, lui préfère son atelier où il peint à la manière des Hollandais (il fait d'ailleurs deux ou trois voyages en Hollande) ou de Chardin qu'il admire beaucoup, des scènes d'intérieur inspirées du milieu très modeste dans lequel il vit.

En effet, Bonvin n'est pas riche. Son père exerce tour à tour le métier de gendarme, de garde champêtre ou d'ouvrier, tandis que sa mère, couturière, meurt de tuberculose lorsqu'il a cinq ans. La seconde épouse de son père, lui donne neuf frères et sœurs. C'est dire que la vie est dure à la maison. C'est à force de sacrifices et au détriment d'une santé qui reste fragile toute sa vie que Bonvin parvient à satisfaire une vocation qui ne le nourrit jamais, ou si mal.

De 1847 à 1880, il expose presque chaque année au Salon, et s'il est bien loin de la célébrité, il n'est pas pour autant complètement méconnu. Il obtient deux médailles au Salon, sous la Seconde République, et l'État lui achète quelques œuvres que l'on peut admirer au musée d'Orsay (*Servante tirant de l'eau*, *Ave Maria*, *Le petit étang*) ou dans des musées de province (Arras, Langres, Montpellier, Niort, Saint-Germain-en-Laye). En 1870, il fut décoré de la Légion d'honneur.

En 1866, il s'installe à Saint-Germain-en-Laye où il demeure jusqu'à la fin de sa vie. En 21 ans, il change cinq fois de domicile. Il peint beaucoup malgré la maladie de la pierre qui lui donne des crises de plus en plus aiguës ponctuées d'opérations douloureuses. Il vit ces années de Saint-Germain avec Louison Kohler, dernière compagne aimante et secourable qui l'aide à supporter non seulement les souffrances de sa maladie, mais une cécité qui s'aggrave de jour en jour. Louison lui sert souvent de modèle (*Le graveur* peint dans son atelier de la rue Saint-Louis, *La cuisine de la rue des Coches* ou *Convalescence*).

En 1887, son état de santé et ses difficultés matérielles sont si désespérés que ses amis peintres organisent une vente à son profit. Hélas, le pauvre Bonvin est épuisé et le fruit de cette vente ne servira qu'à le conduire à sa dernière demeure. Il meurt le 21 décembre 1887 et ce soir-là, son ami et confrère Fantin-Latour écrira à une de leurs relations communes : « Je reviens de Saint-Germain-en-Laye où est mort Bonvin. On l'a enterré à midi dans le cimetière du Pecq, au bas de la Terrasse que vous connaissez bien… »

Aujourd'hui Bonvin est considéré par les spécialistes comme un des meilleurs peintres de genre du XIXe siècle.

Voir tableaux p. 102.

Paul Cézanne
(1839 - 1906)

Le grand peintre d'Aix-en-Provence nous laisse trois tableaux bien titrés, peints dans les Yvelines et qui sont tous trois liés à son amitié pour Zola.

On sait qu'ils sont amis d'enfance et que, lorsque Zola quitte Aix pour Paris, il n'a de cesse d'y faire venir son ami. Il lui écrit qu'il rêve pour tous deux d'une carrière au zénith où leurs deux noms passeraient à la postérité « dans la fraternité du génie ».

En 1861, Cézanne ayant réussi à vaincre l'hostilité paternelle à l'égard de sa vocation artistique arrive à Paris, mais son caractère ombrageux, inquiet et insatisfait de tout, plus son échec au concours d'entrée à l'Académie des Beaux-Arts, font qu'après quelques mois, il retourne à Aix. Jusqu'à la fin de sa vie, il fera d'incessants voyages entre Aix et Paris.

De 1866 à 1871, Zola passe ses vacances au hameau de Gloton près de Bennecourt (Zola évoquera plus tard ces lieux dans divers passages de *L'Oeuvre*) puis à Bennecourt même où il loue une vieille bâtisse au bord de l'eau et où Cézanne et de nombreux amis viennent le rejoindre (voir la biographie de Monet.) L'amitié et la bonne entente règnent dans ce lieu particulièrement pittoresque. Les deux petites villes de Bennecourt et Bonnières, reliées par un bac à chaîne d'une rive à l'autre de la Seine, forment en ce temps-là un des plus charmants paysages d'Ile-de-France. C'est au cours d'un de ces séjours que Cézanne peint *Le Bac à Bonnières*.

En 1872, grâce à Pissarro dont il dira plus tard : « ce fut un père pour moi, quelque chose comme le bon Dieu », il s'installe à Pontoise, puis à Auvers où il vivra les deux années les plus heureuses de son existence, peignant avec Pissarro tous les paysages des environs. Il fait à cette époque une copie d'un paysage de Louveciennes peint par Pissarro en 1871.

Les deux autres tableaux *Le château de Médan,* (1879-1881) et *Médan, château et village* (1885) sont peints dans cette petite localité près de Villennes-sur-Seine où Zola achète une maison, qui existe encore, en 1878 et où il travaille à son cycle de romans : *Les Rougon-Macquart.*

Les relations entre les deux hommes vont peu à peu souffrir d'une incompréhension de la part de Zola. Il avait tout espéré de son ami, encouragé sa vocation, défendu les débuts de sa carrière et au fur et à mesure que lui, Zola, accède à la célébrité, Cézanne demeure l'éternel refusé du Salon, le chercheur qui ne trouve rien.

En 1886, Zola publie *L'Oeuvre* qui relate la vie d'un « génie raté », d'un incapable qui finit par se suicider faute de parvenir à se réaliser. Le jugement de Zola est sans appel et le portrait du héros trop flagrant pour que Cézanne ne s'y reconnaisse pas à la première lecture. Il est frappé en plein cœur et c'est la rupture. Leur correspondance cesse du jour au lendemain. Cézanne ne retournera jamais à Médan et jamais non plus ne reverra Zola.

En 1895, le marchand Vollard organise la première exposition Cézanne dans sa galerie. Seuls quelques inconditionnels du peintre, comme Pissarro, Degas, Monet ou Renoir et quelques critiques qui l'ont défendu contre tous, reconnaissent en lui un maître. Pourtant, la génération montante commence à manifester une agitation souterraine qui va, dans les années suivantes, croître et s'amplifier jusqu'à devenir une reconnaissance enthousiaste qui illumine, dans sa retraite d'Aix, la vieillesse du peintre.

En 1900, Maurice Denis peint son célèbre *Hommage à Cézanne* qu'achètera André Gide et consacre ainsi le génie d'un peintre dont, dorénavant, vont se réclamer tous les mouvements à venir de la peinture moderne.

En 1907, un an après sa mort, une rétrospective importante réunit 56 œuvres de Cézanne au Salon d'Automne.

Voir tableaux p. 19 et 75.

Jean-Jacques Champin
(1796 - 1860)

Champin, aquarelliste et lithographe est originaire de Sceaux et fut élève de Storelli et de A. Régnier.

Il expose au Salon à partir de 1819 jusqu'à la fin de sa vie et obtient en 1824 et 1831 une seconde, puis une première médaille.

Pédagogue de son art de paysagiste, il est l'auteur du *Nouvel album destiné à l'étude des paysages d'après nature,* 1840 et du *Nouveau guide du paysagiste amateur,* 1842. Ses lithographies paraissent dans les principales publications périodiques de son époque : *L'Illustration* et *Le Magasin Pittoresque* dont il est un collaborateur régulier.

Les musées de Clermont-Ferrand, de l'Ile-de-France à Sceaux, le musée Carnavalet à Paris et la Bibliothèque Nationale conservent des œuvres de Jean-Jacques Champin.

Voir dessin p. 94.

Antoine Chintreuil

(1814 - 1873)

Jean Desbrosses

(1835 - 1906)

Bien qu'appelé « peintre du Mantois », Chintreuil est né à Pont-de-Vaux dans la Bresse. Il ne viendra dans le Mantois que beaucoup plus tard. Jusqu'à la mort de sa mère en 1832, il passe une jeunesse aisée, dessine et rêve de devenir peintre. Il obtient un poste de maître de dessin dans son collège à Pont-de-Vaux et ce n'est qu'en 1838, à 24 ans, qu'il peut enfin partir pour Paris.

Il incarne tout-à-fait un personnage de la vie de bohème romantique : on dit qu'il inspira le roman de Murger *(Scènes de la vie de bohème).*

La vie d'artiste est malheureusement bien dure dans la capitale et les dix premières années qu'il y passe sont si terribles que sa santé, délabrée par les privations, le laissera fragile et maladif toute sa vie. C'est à cette époque qu'il se lie d'amitié avec les frères Desbrosses et partage avec Joseph-Gabriel, sculpteur et Léopold, peintre-graveur, cette vie de pauvreté si effroyable que Joseph-Gabriel, à bout de force, meurt en 1844.

Malgré tout, Chintreuil continue. Il rencontre Corot qui lui fait découvrir la nature et lui révèle sa vraie vocation de peintre paysagiste. Il est accepté au Salon pour la première fois en 1847. L'État lui achète quelques toiles. Une lueur d'espoir apparaît.

Au point où nous en sommes, on ne peut parler davantage de Chintreuil sans évoquer le troisième des frères Desbrosses, Jean, né en 1835. Il n'a donc que 14 ans lorsqu'il quitte ses

parents en 1848 et fait irruption dans l'atelier du peintre avec la ferme intention d'y rester, d'être l'élève de Chintreuil pour devenir peintre lui aussi. Chintreuil ne peut que l'accueillir. Il partagera sa pauvreté avec cet enfant passionné, mais aussi son art, son talent, ses connaissances. Dès lors, ils ne se quittent plus et c'est le début d'une incroyable amitié qui durera jusqu'à la mort. Pourtant Desbrosses se marie assez tôt mais ils continuent néanmoins de vivre et peindre ensemble, soutenus avec dévouement par Madame Desbrosses.

Puisque Corot avait si bien fait découvrir à Chintreuil sa voie de paysagiste, celui-ci s'éloigne de plus en plus souvent de Paris. Il s'installe quelque temps à Igny *(Barrage sur la Bièvre à Jouy* ou *Maison et cour à Jouy)* puis en Picardie.

En 1857, il achète une maison au hameau de La Tournelle à Septeuil. C'est une grande période de sa vie artistique, il a 43 ans, maîtrise parfaitement son art et c'est à cette époque qu'il peint ses plus beaux tableaux. Il se montre, comme plus tard Claude Monet, perméable aux plus subtiles variations du temps et de l'heure. Il expose chaque année au Salon, entre autres, *L'Ondée* en 1869, *L'Espace* en 1870 (qui trahit une vision tout impressionniste) et il peint pendant les 16 années de Septeuil, à part deux ou trois excursions à la mer, quelque 250 toiles se rapportant toutes à des paysages des environs ou à sa maison, tels *La Tournelle, La ferme de Courgent, Le hameau de Gredeux, Les prés de Rosay, Bois d'Orvilliers, Les ruines de Montchauvet, Les fonds de Tacoignières,* etc. sans oublier *Millemont* qui est plus au sud, où il séjourne plusieurs fois au château de son ami Maurice Richard, ministre et sénateur, et où il peint une vingtaine de toiles.

Au début de l'année 1873, il tombe de nouveau gravement malade et terminera à grand peine son dernier tableau *Pluie et soleil* (Musée d'Orsay). Il a 59 ans et meurt au mois d'août, dans sa maison de La Tournelle.

Pont-de-Vaux, sa ville natale, peut s'honorer de posséder un musée Antoine Chintreuil et de conserver un bel ensemble des œuvres du peintre.

Voir tableaux p. 43, 80, 81, 104, 105 et p. 40.

Jean-Maxime Claude
(1824 - 1904)

Ce peintre est l'élève de V. Galland. En 1861 il commence à exposer au Salon. Il est médaillé en 1866, 1869, 1872. Ses thèmes favoris, peints d'une facture dynamique sont des paysages, des scènes de chasse et des marines. Il a séjourné une partie de sa vie à Maisons-Laffitte et son atelier existe encore au 2 avenue Béranger. Il se fixe ensuite en Angleterre où ses œuvres figurent fréquemment dans des ventes publiques.

En 1900, à l'Exposition Universelle, sept de ses toiles sont présentées. On peut voir des œuvres de Jean-Maxime Claude aux musées de Chantilly, de Stockholm, en Angleterre et au Château de Maisons-Laffitte, qui en conserve deux : *Le Champ de Courses de Maisons-Laffitte* (1855) *et Le Château* (1888).

Son fils et élève, Georges Claude, peintre, pastelliste, graveur et lithographe (1854-1921) a occupé le même atelier à Maisons-Laffitte. Le Château de Maisons-Laffitte possède une œuvre de lui, *Le Vieux Moulin de Maisons-Laffitte.*

Voir tableau p. 64.

Jean-Baptiste Camille Corot
(1796 - 1875)

Corot est fils de commerçants. Sa mère est une modiste en vogue et son père est drapier. Il fait ses études secondaires à Rouen et à Poissy. En 1815, son père, sans doute inquiet de la tournure des événements (c'est Waterloo) tente de donner à son fils un métier et lui fait faire son apprentissage de drapier. Pourtant, le jeune homme ne rêve que de peinture. Il s'installe un atelier dans la maison de campagne de ses parents à Ville-d'Avray, mais il lui faudra lutter sept ans avant que son père se rende à l'évidence. Jean-Baptiste Camille ne sera jamais drapier.

Il entre donc à l'école des Beaux-Arts en 1822 muni d'une pension paternelle qui va lui donner les ailes de la liberté. Bien

qu'il peigne au début de sa carrière de nombreux sujets religieux ou à thème historique (n'oublions pas qu'il a l'âge de Delacroix et qu'Ingres n'a que seize ans de plus que lui), il s'écarte peu à peu de l'académisme, se joint un moment à l'École de Barbizon et entre ainsi dans le vif de la nature. Il fait plusieurs voyages en Italie et ses tableaux, qui mêlent les pierres à la verdure, resplendissent, comme ceux de Poussin, de l'influence et de la lumière de Rome ou de Florence.

Corot a un ami à Mantes, le magistrat Parfait Robert, chez qui il passe de longs séjours. Il peint beaucoup dans la région, comme en témoignent *Le pont de Mantes, La collégiale de Mantes* ou *L'église de Rolleboise,* et il sait merveilleusement, tout comme il a su saisir la luminosité du soleil d'Italie, capter la fraîcheur des brumes matinales et la transparence des paysages d'Ile-de-France.

Dans la maison de son ami Parfait Robert, il décore les murs de la salle de bains de grands paysages en clair-obscur qui sont aujourd'hui au Louvre, dans une petite pièce à leur taille, carrelée de blanc et noir.

Corot a, malgré sa générosité proverbiale, une réputation d'homme solitaire, modeste, indépendant. Il poursuit une carrière à l'écart de ses contemporains, il n'a pas de maître, vit et voyage seul. Pourtant il se rend souvent à Rosny, car dans cette petite ville au château historique bâti par Sully, demeure une veuve du nom de Parfaite Anastasia Osmond à qui Corot fait de fréquentes visites aussi secrètement que le lui permet son assiduité. De cette époque date un ravissant petit tableau : *Rosny, le château de la duchesse de Berry* (Louvre).

Corot expose fréquemment au Salon et c'est avec patience qu'il gravit les échelons de la gloire qui le haussera, comme dit Baudelaire, « à la tête de l'école moderne du paysage ». Vers

1850, il inaugure un nouveau genre de paysage poétique caractérisé par une atmosphère vaporeuse et estompée, un état d'esprit lyrique et élégiaque. En 1855, lors de l'Exposition Universelle, Napoléon III lui achète une toile et son talent éclate au grand jour. Il était temps, il a presque soixante ans. Les jeunes Impressionnistes sont déjà là, bientôt ils viendront chercher auprès du vieux maître, le bon « papa Corot », conseils et leçons.

Lorsqu'il meurt, à l'âge de soixante dix-neuf ans, ses funérailles sont suivies par une foule immense. Aucun peintre de cette époque ne peut plus ignorer Corot et son rayonnement illumine déjà toute la peinture du XIXe siècle.

Voir tableaux p. 67, 95, 97.

Charles-François Daubigny
(1817 - 1878)

Son père, paysagiste classique, est son premier maître. Il visite l'Italie à dix-sept ans, puis travaille quelque temps à l'atelier de restauration du Louvre. En 1838, il débute au Salon où il expose des peintures et parfois des eaux-fortes. Il illustre entre autres, *Versailles ancien et moderne* de A. de Laborde. À partir de 1844, sa réputation de paysagiste s'établit et il reçoit de nombreuses récompenses. Il fait sous le Second Empire une carrière officielle.

Son attirance pour le paysage, le ciel, l'eau et ses reflets est telle qu'il peint à proprement parler « sur le motif » en sillonnant la Seine et l'Oise, depuis Auvers-sur-Oise son port d'attache, sur un bateau-atelier appelé *Le Bottin* et devenu vite célèbre parmi les jeunes Impressionnistes qui travaillent avec lui, dont Cézanne et Monet. Ce dernier, sur lequel l'influence de Daubigny est grande, aura plus tard lui aussi son atelier flottant pendant sa belle période d'Argenteuil.

La peinture de Daubigny, dont la palette est encore sombre mais déjà pleine de liberté, est une des dernière grandes étapes dans l'évolution de la peinture avant l'explosion de l'Impressionnisme.

Voir tableau p. 66.

Maurice Denis
(1870 - 1943)

De souche Saint-Germanoise, Maurice Denis, né par hasard à Granville dans la Manche où sa mère se réfugie pendant la guerre de 1870, passera toute sa vie à Saint-Germain-en-Laye.

Il va en classe à la pension Villon, prend des cours de dessin, se rend à l'église le dimanche et mène à Saint-Germain et dans son admirable environnement la vie que connaissent encore les enfants d'aujourd'hui. En effet, quel est le petit Saint-Germanois qui n'a, comme lui, parcouru des dizaines de fois la Grande Terrasse dans toute sa longueur, ou ne s'est enfoncé dans la forêt jusqu'à la Mare aux Canes, rendez-vous des biologistes en herbe, pêcheurs de têtards… ou encore, n'a entraîné ses parents un jour d'été vers les attractions mystérieuses de la Fête des Loges ?

Maurice Denis nous relate tout cela dans son journal, mais en réalité, cette vie extérieure n'est que la face visible de l'iceberg, car dans les profondeurs de son cœur, sa prime adolescence est submergée par un mysticisme religieux et une passion pour l'art qui l'obsèdent avec une ardeur étonnante à cet âge.

Ces deux aspirations, dont l'exaltation se tempère lorsqu'il entre dans le monde raisonnable des adultes, ne cesseront néanmoins de conduire sa vie.

Il poursuit ses études au lycée Condorcet à Paris et tout en suivant les cours libres de l'Académie Jullian, il passe son bac de philosophie.

À l'Académie Jullian, il rencontre Bonnard, Ibels, Ranson et surtout Sérusier leur aîné avec lesquels, en compagnie de quelques élèves de l'École des Beaux-Arts : K.X. Roussel, Piot, Vuillard, ils fondent en 1888 le groupe des Nabis. Ce vocable nouveau, que personne ne connaît et qui signifie « prophète » en hébreu, porte en lui seul la nouveauté, l'avenir et la spiritualité dont se réclame ce très jeune groupe de peintres. Sans doute en réaction contre les Impressionnistes qu'ils jugent d'un réalisme trop fidèle à la nature, à la limite du grossier, ils veulent une peinture plus pensée, plus cérébrale.

La concrétisation de leurs idées leur est apportée à l'automne de cette même année, lorsque Sérusier rentre de Pont-Aven avec un petit tableau qu'il a exécuté sous la direction de Gauguin. C'est le fameux *Paysage au Bois d'Amour* peint en larges aplats de couleurs pures, synthétisé à l'extrême et dont le sujet même est presque méconnaissable tant il est transposé, simplifié, symbolisé. « Ainsi », écrit Maurice Denis, « nous fut présenté pour la première fois sous une forme paradoxale inoubliable le fertile concept de la surface plane recouverte de couleurs en un certain ordre assemblées ».

Le mouvement Nabi dure une dizaine d'années et son champ d'action s'étend à toutes les formes d'art décoratif. Maurice Denis, dont l'ouverture d'esprit est grande et éclectique, n'est pas en reste. Il est l'ami de nombreux jeunes contemporains comme Barrès, Claudel, Gide, Debussy, Vincent d'Indy ou Auguste Perret, pour lesquels il exécute des illustrations d'ouvrages, des décors d'opéra, des frontispices, des peintures murales, etc.

En 1893, il épouse Marthe Meurier, « une admirable fille blonde et grave » et le couple s'installe 3, rue de Fourqueux à Saint-Germain. La jeune femme lui sert souvent de modèle, ainsi que les six enfants qu'elle lui donne avant de disparaître prématurément en 1919.

En 1900, il peint son *Hommage à Cézanne* (Musée d'Orsay). Tous les Nabis sont réunis sur ce tableau autour d'une nature morte du Maître d'Aix. Si Maurice Denis a 30 ans, Cézanne en a presque 60 et c'est avec émoi qu'il reçoit, dans sa retraite du Midi, la reconnaissance de cette nouvelle génération. Maurice Denis dira plus tard que « Cézanne fut l'initiateur du mouvement de 1890 ».

En 1912, il travaille avec l'architecte Auguste Perret à la décoration du Théâtre des Champs Elysées en compagnie de Bourdelle, K.X. Roussel et Vuillard.

La grande décoration de la coupole du théâtre nécessite un vaste atelier que Denis obtient de faire construire (par Perret) dans le périmètre d'un vieil hôpital désaffecté du XVIIe siècle, situé près de chez lui, qu'il appelle déjà le « Prieuré », et dont il rêve de devenir le propriétaire.

Il acquiert le Prieuré en juillet 1913. C'est une propriété magnifique, qui devient la maison familiale des Denis, mais aussi un lieu animé de rencontres pour tous les amis du peintre : Vuillard est à l'Étang-la-Ville, Maillol à Marly-le-Roi. Bonnard, lui, a loué une maison à Saint-Germain en 1912.

En 1922, Maurice Denis épouse en secondes noces Élisabeth Graterolle qui lui donne deux enfants et « apporte dans cette famille désemparée de l'ordre, de la sérénité, de la joie ». Il passe à ses côtés les 20 dernières années de sa vie et fait d'elle

plusieurs portraits.

Le dimanche des Rameaux de cette même année une messe inaugurale est célébrée dans la chapelle du Prieuré. Les peintures, fresques et vitraux dont Maurice Denis s'est fait un devoir d'orner les murs, les plafonds et les fenêtres, témoignent de cet art sacré nouveau qui tient une importance capitale dans son œuvre. Il a en effet, durant sa vie, décoré une dizaine de chapelles ou églises (dont en 1901-02 deux chapelles de l'église Sainte-Marguerite au Vésinet), et peint de très nombreux sujets religieux.

On voit que l'œuvre de Maurice Denis est considérable, allant des grandes compositions murales aux arts graphiques les plus variés, sans négliger la peinture de chevalet, portraits de ses amis ou scènes de la vie familiale. Il est aussi l'auteur de trois essais critiques sur la peinture. Tout cela est à l'échelle d'un personnage infatigable et généreux qui, par son travail et ses recherches, a su occuper, malgré les courants parallèles (le cubisme est annoncé dès 1907 par Picasso), une place particulière dans l'histoire de la peinture.

Maurice Denis meurt accidentellement le 13 novembre 1943. Il repose au cimetière ancien de Saint-Germain-en-Laye.

En octobre 1976, le Département des Yvelines acquiert le Prieuré qui est aujourd'hui le Musée des Symbolistes et des Nabis.

Voir tableaux p. 73, 87, 100.

André Derain
(1880 - 1954)

Derain est né à Chatou et y demeure jusqu'en 1907. Son père est pâtissier et conseiller municipal. Le jeune André fait ses premières études à l'Institution Sainte-Croix du Vésinet, puis entre au lycée Chaptal à Paris dont il garde un souvenir exécrable et où il obtient des notes si peu satisfaisantes que ses parents l'en sortent pour l'inscrire en 1895 dans un cours privé, sorte de « boîte à bachot », au nom retentissant de « Polytechnicum » (ce qui vaut à certains de ses biographes de conclure qu'il a préparé Polytechnique). Il ne tarde pas à se détourner totalement des études, et même de la préparation des Beaux-Arts pour se livrer passionnément à un irrésistible besoin de peindre. Il poursuit sa formation d'autodidacte tantôt au Louvre et dans les galeries de peintures, tantôt sur le paysage.

C'est grâce à ces journées entières d'école buissonnière que naîtra « l'École de Chatou » — qui n'a, en fait, compté que deux peintres, Derain et Vlaminck ! Tous deux se rencontrent dans le train de Paris en juin 1900, lors d'un déraillement à La

Garenne-Bezons. Ils rentrent chez eux ensemble. C'est le début de leur longue amitié.

Si Derain a déjà une formation de peintre — il fréquente l'Académie Jullian — et une vocation précise, Vlaminck est plutôt musicien, sportif et ne s'intéresse qu'incidemment à la peinture sans avoir jamais suivi de cours. Pourtant, dès octobre, les deux nouveaux amis louent comme atelier une vieille guinguette désaffectée près de la Maison Fournaise à Chatou, l'ancien lieu de rendez-vous des Impressionnistes.

De septembre 1901 à septembre 1904, Derain effectue son service militaire et, à chacune de ses permissions, il continuera à peindre dans les parages. C'est de là que bientôt vont s'échapper les couleurs pressées au tube, les arbres rouges, les feuillages bleus, les jaunes hurlants, autrement dit les premiers rugissements des « Fauves ». Le nom ne leur est pas encore connu et ne leur sera donné par dérision qu'en 1905 lors du Salon d'Automne. La salle où ils exposent avec Matisse, leur doyen, Marquet, Dufy, Van Dongen et quelques autres, devient sous la plume acerbe d'un critique « la cage aux fauves » dans laquelle le public horrifié est accueilli avec, paraît-il, « un pot de peinture jeté à la figure ».

Qu'à cela ne tienne, Derain et ses amis, ainsi que Braque qui se joint au groupe en 1906, continuent à braver les foules de leurs couleurs explosives, de leurs aplats flamboyants. Il faut que jeunesse se passe, et elle se passe avec tapage dans le Fauvisme qui connaît son apogée en 1907, mais qui tombe de lui-même l'année suivante, comme à bout de course, chacun des protagonistes essoufflé quittant tour à tour le groupe pour se tourner vers d'autres recherches.

Des recherches qui, pour Derain, peintre moderne et novateur dans le Fauvisme, grand admirateur de Van Gogh et Gauguin, s'orientent volontairement vers une tradition qui fait figure de classicisme quand on sait qu'il fréquente le Bateau-Lavoir, qu'il a pour ami Matisse, qu'il s'entend admirablement avec Picasso et qu'il partage avec Braque une amitié qui durera toute sa vie.

En 1935, il achète une maison de campagne à Chambourcy et peu à peu se retire de la vie parisienne. Si ses œuvres, achetées dès 1905 par les plus grands marchands (Vollard, Kahnweiler) sont exposées dans toutes les galeries d'Europe et des États-Unis, il continue dans une solitude sans cesse animée du doute le plus profond, à opposer une peinture traditionnelle bien que personnelle et originale, aux remous des peintres cubistes et abstraits.

Le 14 juillet 1954, ce géant de 72 ans qui adorait les voitures (il a eu 14 Bugatti) est renversé par un autobus. Il ne peut se remettre du choc et meurt en septembre dans une clinique de Garches.

Derain repose au cimetière de Chambourcy et sa maison, protégée par la nièce qu'il a élevée comme sa fille et par l'Association André Derain, sera prochainement restaurée.

Voir tableaux p. 30, 33, 87.

Isidore Deroy
(1797 - 1886)

Victor Deroy
(† 1906)

Contemporain de Corot et élève de Cassas, Isidore Deroy est un des meilleurs spécialistes de lithographies de paysages avec lesquelles il illustre abondamment des ouvrages de son époque.

De 1829 à 1831, il expose au Salon une série d'estampes intitulées *Vues prises sur les bords de Seine* destinées à l'illustration des fameux *Voyages romantiques et pittoresques* du baron Taylor, à propos duquel il nous faut d'ailleurs ouvrir ici une parenthèse. Le baron Taylor (1789-1879) — né de parents anglais mais naturalisé français, est un personnage éminent de la vie culturelle au XIXᵉ siècle. Polytechnicien, il est tour à tour Inspecteur des Beaux-Arts, Inspecteur des Musées et fondateur de la Société des Gens de Lettres. En 1830, c'est lui qui est chargé des tractations diplomatiques pour le transfert à Paris de l'obélisque de Louksor. Mais il est surtout philanthrope, écrivain et grand voyageur, et c'est pour illustrer ses « albums de voyage », très en vogue à l'époque, qu'il requiert le talent des artistes de son temps. Outre Deroy, les peintres Bonington, Boudin, Ciceri et même Turner ont ainsi travaillé pour lui.

Isidore Deroy exécute de nombreuses lithographies représentant les principales églises de France et peint aussi sur les bords de Seine *(Rosny vu du village de Rolleboise,* Musée de Sceaux).

On peut voir ses œuvres dans les musées de Dieppe, Orléans, Louviers, Sceaux et au Cabinet des Estampes de la Bibliothèque Nationale.

Son fils Victor Deroy, mort en 1906, est également dessinateur, peintre et lithographe, mais on ne sait pratiquement rien de sa biographie, si ce n'est qu'il a peint dans la région, comme en témoignent ses deux œuvres : *Marly le Roi, vue prise de la Redoute des Arches* et *Le viaduc de Mareil,* datées de 1882 et conservées au Musée-Promenade de Marly-Louveciennes.

Voir dessin p. 97 et gravure p. 70

Édouard Detaille
(1848 - 1912)

Édouard Detaille naît à Paris dans un milieu aisé et surtout favorable à une vocation qui se manifeste très tôt. Son grand-père avait été fournisseur aux Armées sous l'Empire et l'enfance d'Édouard est bercée par l'épopée de la Grande Armée. Quant à son père, il est architecte, dessine, aime l'art et la peinture et ne voit donc aucun inconvénient à ce que son fils devienne peintre.

En 1865, Édouard Detaille entre à Poissy dans l'atelier renommé d'Ernest Meissonier. Il y apprend tout ce qu'il faut pour devenir un excellent peintre d'Histoire.

À la guerre de 70, il n'hésite pas à se faire enrôler dans l'armée. Il veut voir de ses yeux, car il a le goût, comme son maître, de la documentation parfaite, du détail exact et il recherche sur place l'émotion de la vérité. Ce n'est pas pour autant qu'on peut le qualifier de « pleinairiste » comme ces fous d'Impressionnistes dont on entend parler (Pissarro a 40 ans) car s'il travaille « sur le motif », il ne plante pas pour autant son chevalet sur le champ de bataille, non, il fait des croquis, des esquisses rapides qui lui serviront dans son atelier à composer ses grandes toiles. Ses dessins et ses aquarelles de troupes comptent parmi les relations les plus émouvantes et les plus évocatrices de la guerre de 1870.

En temps de paix, il visite les casernes, les champs de manœuvres, assiste aux revues ou défilés militaires et son atelier recèle une véritable garde-robe d'uniformes qu'il fait endosser à ses modèles masculins, qui, au besoin, enfourchent aussi son cheval empaillé. De nombreuses personnalités militaires viennent poser chez lui pour leurs portraits qui figureront dans les grandes commandes officielles du peintre.

Les œuvres d'Édouard Detaille, dans lesquelles la France se reconnaît à travers ses modestes combattants ou ses héros glorieux, dans des paysages fort bien traités et souvent familiers *(L'enrôlement des Volontaires sur le Terre-Plein du Pont Neuf,* 1902, Hôtel de Ville de Paris) obtiennent rapidement un très grand succès. En 1868, il reçoit sa première médaille au Salon et c'est le début d'une carrière pleine d'honneurs (il fut décorateur du Panthéon et de l'Hôtel de Ville) et de décorations (commandeur de la Légion d'Honneur) jusqu'à la consécration suprême, l'Institut, où il est reçu à 44 ans. Il faut dire qu'à 28 ans il a déjà suffisamment de confiance en sa célébrité à venir pour se faire construire à Paris un vaste hôtel particulier avec atelier au 129 boulevard Malesherbes et contigu à celui de Meissonier. Le dix-septième arrondissement est à la mode et tout artiste digne de ce nom se doit d'y habiter. Les « indignes » comme Pissarro ou Monet ne se privent pas de l'appeler « le quartier des pompiers ».

La famille d'Édouard Detaille possède une maison à Saint-Germain-en-Laye, sur l'actuelle place Édouard Detaille, où le peintre a vécu une partie de sa jeunesse et où il se rend encore fréquemment. Il l'a baptisée *Le Rêve,* du nom de son célèbre tableau (1886, Musée d'Orsay) et s'en est vraisemblablement inspiré dans *La Division Farou à Champigny* (Metropolitan, New-York).

Deux autres toiles évoquent Saint-Germain : *La Baignade du Régiment à Saint-Germain* (1909, Musée de l'Armée) et *Revue des Guides dans le Parc de Saint-Germain* (Musée de l'Armée, Invalides) qui est un des derniers tableaux sur lequel travaillait le peintre et que sa mort a laissé inachevé.

L'œuvre d'Édouard Detaille est en majorité conservée au Musée de l'Armée, aux Invalides à Paris. Le Musée d'Orsay possède cinq tableaux de ce peintre.

Voir tableau p. 99.

André Dunoyer de Segonzac
(1884 - 1974)

Dunoyer de Segonzac n'a pas habité dans les Yvelines, mais il a adoré l'Ile-de-France et a peint de très nombreux paysages dans notre département.

Il naît à Boussy-Saint-Antoine (Essonne), petit village d'Ile-de-France, dans la propriété de ses grands-parents, occupée

aujourd'hui par la mairie. Sa chambre y est d'ailleurs conservée, ainsi que quelques souvenirs.

De sa maison de Chaville où il s'installe après la guerre de 1914 et où il vit jusqu'à sa mort, il rayonne dans toute la région. Peu de villes, villages, clochers ou rivières ont échappé à la subtilité de son trait où éclate son amour inné et profond de la campagne et de la vie rustique. Il s'est défini lui-même dans cette notation : « un des éléments les plus essentiels de l'œuvre d'art c'est la tenue ». Citons dans les Yvelines : Bougival, Feucherolles, Guyancourt, Marly, Poissy, Senlisse, Triel, Villepreux et surtout Versailles où il a peint plusieurs vues du château et de la ville à laquelle il a d'ailleurs fait une donation personnelle conservée au Musée Lambinet.

En 1919, il découvre la gravure et illustre dès lors de nombreux livres d'amis (Roland Dorgelès, Tristan Bernard, Francis Carco, Jules Romains, Paul Morand, Colette) ou d'auteurs classiques comme Virgile, dont le premier chant des *Géorgiques,* consacré aux travaux des champs, est presque entièrement inspiré par des paysages d'Ile-de-France dont, dans les Yvelines : *Les vergers de Chavenay, Le champ d'avoine près de Villepreux* ou *Les collines près de Rochefort-en-Yvelines* (Bibliothèque Nationale). L'œuvre gravé de Dunoyer de Segonzac ne comporte pas moins de 1600 gravures. Il y traduit admirablement l'atmosphère d'une Ile-de-France, tantôt semblable à un grand parc aux nobles arbres, et tantôt plus rustique, avec un clocher de village apparaissant derrière les arbres d'un vallon.

Les toiles de l'artiste sont admirées dès sa première exposition au Salon d'Automne en 1910 et bien que n'ayant en rien, ou si peu, subi l'influence des différents mouvements modernes, cubistes ou abstraits (Picasso est son aîné de trois

ans), il conserve sa longue vie durant, une très grande notoriété.

En 1925, il achète comme résidence secondaire la maison du peintre Camoin à Saint-Tropez. Il s'y rendait d'ailleurs depuis 1908 dans l'ancienne villa de Signac. Il aime la Provence et la lumière du Midi, mais il reste profondément attaché à sa terre natale dont il dit : « j'ai toujours aimé les paysages d'Ile-de-France, leur discrète mesure et leur rare distinction ».

Discrétion, mesure, distinction ? C'est bien aussi de l'œuvre de Dunoyer de Segonzac qu'il peut s'agir.

Voir tableaux p. 32, 38, 50, 55, 59, 107, 114.

James Forbes
(1749 - 1819)

Forbes est un peintre de l'École Anglaise.

Il voyage beaucoup, notamment en Europe et en Orient et rapporte de ses explorations lointaines, des croquis et des dessins qui lui serviront à illustrer les ouvrages qu'il écrit à partir de ses mémoires de voyage.

Le Musée de l'Ile-de-France à Sceaux possède une importante série d'aquarelles de Forbes.

Louis-François Français
(1814 - 1897)

Né et mort à Plombières dans les Vosges, Louis Français arrive à Paris à l'âge de 14 ans et commence à gagner sa vie comme commis-libraire. Il peint ses premiers paysages à 17 ans et à 23, il débute au Salon où il expose ensuite jusqu'en 1896.

À partir de 1834 il fréquente Barbizon durant quelques années. Il y rencontre Corot, et fait, comme lui, plusieurs voyages en Italie. Il obtient sa première médaille au Salon en 1841 et à partir de 1850 il reçoit des élèves dans son atelier. À la fin de sa vie (1890) il est nommé membre de l'Institut.

Les environs de Paris sont un lieu de prédilection pour Français qui travaille une vingtaine d'années, entre 1842 et 1863, à Meudon, Saint-Cloud, Marly, Louveciennes (*Coupe de bois à Louveciennes,* Musée National du Château de Fontainebleau) et surtout à Bougival qu'il affectionne au point de signer ses toiles à cette époque : « Français de Bougival » ou « Français, élève de Bougival ». Lorsque Baudelaire, après avoir dilapidé l'héritage de son père, se fait journaliste et critique d'art, il dit de Louis Français qu'il « est un des paysagistes les plus distingués » et va même jusqu'à le comparer à Corot : « C'est un Corot moins naïf, plus rusé ».

Français voyage ensuite à travers toute la France et, de 1873 à 1889, il partage son temps entre Nice, Cernay et Plombières, sa ville natale où il finit ses jours.

À Cernay, il vient en habitué chaque printemps durant ces quinze ans. Il y peint de nombreux tableaux bien nommés *(Laveuses aux Vaux-de-Cernay)* mais aussi des *Coucher de soleil, Crépuscule sous bois,* etc., qui ne sont pas localisés précisément, mais qu'on ne peut confondre avec les paysages du Midi ou des Vosges.

Le Musée Louis Français à Plombières, ainsi que plus de trente musées de province possèdent des œuvres de ce peintre.

Sa peinture nous montre une nature calme, apaisée, des paysages un peu stylisés à la manière italienne de Corot dont il a reçu d'utiles leçons.

Il est également largement représenté dans les musées anglais (il séjourna quelque temps à Londres).

Voir tableau p. 63.

Henri Harpignies
(1819 - 1916)

Né à Valenciennes, Harpignies ne devient peintre qu'à 27 ans, malgré des dispositions précoces pour le dessin, après avoir abandonné l'industrie à laquelle le destinait son père. Celui-ci possède une florissante entreprise de « roulage accéléré » qui effectue journellement le trajet aller-retour Valenciennes-Paris.

En 1846, Harpignies s'installe à Paris et entre à l'atelier de Jean Achard qui l'initie à la peinture en plein air. Il dit à cette époque dans son journal, alors que son maître lui fait recommencer dix fois le même arbre : « j'avais vraiment le désir d'apprendre et de parvenir parce que j'aimais la nature avec passion ».

Cette passion pour la nature, augmentée d'une inconditionnelle vénération pour Corot et de l'influence qui en découle, il n'a cessé de la traduire en peinture avec ardeur et amour jusqu'à un âge avancé, lorsque ses élèves l'appellent « le vieux chêne » et que, vieillard noble et robuste, presque séculaire, il est toujours aussi acharné au travail.

Répertorié comme peintre de Barbizon, car il y séjourne un temps, ainsi qu'à Mariotte, Harpignies trouve cependant son inspiration dans toutes les régions de France. En 1854 et 1858, il

se trouve notamment à Marly et en 1857, il se rend à plusieurs reprises à Cernay avec son ami Louis Français et il y rencontre Émile Lambinet.

En 1897, après avoir exposé chaque année au Salon des Artistes Français depuis 1853, il y obtient la grande médaille d'honneur. Il gravit aussi au cours des ans tous les grades dans l'Ordre de la Légion d'Honneur jusqu'à être promu Grand Officier en 1911.

Il faut dire que les œuvres de Henri Harpignies suscitent, tout au long de sa vie, les éloges unanimes de la presse. Cette notoriété acquise de son vivant dure encore. Harpignies demeure l'un des « moins oubliés » parmi les paysagistes du XIXe siècle.

De très nombreux musées dont le Louvre, Orsay, le Petit Palais, Bordeaux, Lille, Orléans et surtout Valenciennes, sa ville natale, possèdent ses œuvres.

Voir tableau p. 28.

Émile Lambinet
(1813 - 1877)

Émile Lambinet naît à Versailles d'une vieille famille d'artisans et commerçants installés dans la ville depuis 1871. Il y passe lui-même une grande partie de sa vie ; il y possède successivement ses deux premiers ateliers.

Lambinet est élève de Michel-Martin Drolling et Horace Vernet mais se tourne rapidement vers Corot et Daubigny sous l'influence desquels il peint ses clairières et ses étangs et devient un paysagiste. Ses toiles sont très appréciées, non seulement par l'État français qui lui achète régulièrement au Salon où il expose de 1833 à 1877, mais aussi par les collectionneurs américains.

Lambinet peint de nombreux paysages dans la région, notamment à Cernay où il rencontre Harpignies, à Chevreuse, Rambouillet, Versailles, ainsi qu'à Bougival où il passe les dix-sept dernières années de sa vie.

On peut voir des œuvres de ce peintre au Musée Lambinet à Versailles *(Rives de la Seine près de Bougival)* ainsi qu'à la Préfecture qui conserve notamment un dessus de porte représentant *La Seine à Marly*. Les musées d'Amiens, Avignon, Besançon, Dunkerque, Tours possèdent aussi des Lambinet.

Il est également largement représenté dans les musées anglais car il séjourna quelque temps à Londres.

Voir tableau p. 39.

Eugène Lami
(1800 - 1890)

Peintre de genre et d'histoire, aquarelliste et lithographe, Eugène Lami naît à Paris le 22 Nivôse de l'an VIII, au son des victoires napoléoniennes. Son père travaille dans l'administration impériale et l'enfant assiste avec bonheur aux parades et revues militaires. C'est ainsi qu'il commence à dessiner chevaux et cavaliers et que s'ébauche une carrière qui prend brusquement corps, lorsqu'après les Cent-Jours et l'exil définitif de Napoléon, son père révoqué se voit obligé de donner au plus vite un métier à son fils.

En 1815, Eugène Lami entre donc à l'atelier d'Horace Vernet et commence dès cette époque à gagner sa vie en réalisant des lithographies, dessins ou aquarelles, dont la série des Uniformes qui sont les indispensables outils de travail des peintres militaires. Il fera d'ailleurs dans sa vie plus de trois cents dessins d'uniformes des armées française, anglaise ou espagnole.

En 1824, Lami débute au Salon avec *Le combat de Puerto Miravete, 30 sept. 1823* (Musée de Versailles) et prend rang avec succès parmi les peintres d'histoire. À partir de 1830, grâce à l'influence et au renom de son maître Horace Vernet, il devient l'un des peintres officiels de Louis-Philippe et sa carrière s'emplit de commandes importantes.

Si Eugène Lami peint des batailles et des militaires, il est aussi l'infatigable peintre des fêtes de la cour, des salons, des bals, des courses, des chasses qui relatent avec une verve et une habileté pleine d'acuité et d'entrain les réjouissances distinguées de la société Française de son époque dans laquelle il a toutes ses entrées, (*Les hôtes du Château de Dampierre,* ou *L'équipage de chasse de Rambouillet*). Mais tout en côtoyant avec aisance les grands de ce monde, il nous laisse également de nombreuses scènes vivantes et colorées de la vie de tous les jours, saisies dans les rues de Paris ou de ses environs (*La Terrasse de Saint-Germain en 1843,* aquarelle illustrant *Été à Paris*).

En 1837, lorsque Louis-Philippe décide de transformer Versailles en un musée historique, il fait appel au talent d'Eugène Lami. Ses toiles, qui ornent encore aujourd'hui les salles du XIXᵉ siècle comptent parmi les meilleures du genre (*Bataille de Wattignies, 16 oct. 1793, Bataille d'Hondschoote, 8 sept. 1793*). Eugène Lami fait aussi plusieurs aquarelles et dessins commémorant l'inauguration du Musée de Versailles, le 10 juin 1837.

Quand éclate la Révolution de 1848, Lami suit Louis-Philippe en Angleterre où il poursuit durant 4 ans, protégé privilégié de la Reine Victoria, sa carrière de peintre de cour. « Un poète du

dandysme », dit Baudelaire, « presque anglais à force d'amour pour les éléments aristocratiques ».

En 1852, il rentre en France. Sa renommée auprès de ses admirateurs ne s'est pas estompée, mais, malgré quelques commandes, notamment à l'occasion de la visite en France des souverains anglais (*Souper donné par Napoléon III en l'honneur de la Reine Victoria dans l'Opéra du Château de Versailles le 25 août 1855,* Musée d'Orsay), il ne retrouve pas auprès de Napoléon III sa situation de peintre officiel. Seuls quelques dessins ou aquarelles représentent l'Empereur dans l'exercice de ses fonctions (*Revue passée par Napoléon III à Satory*).

Il n'en poursuit pas moins sa carrière prolifique : reconstitutions historiques, scènes de genre, illustrations (œuvres de Musset) et fonde avec quelques amis, à l'âge de 78 ans, la Société des Aquarellistes Français.

Eugène Lami, qui connut durant sa longue carrière, de Louis XVIII à la Troisième République, six changements de régime, demeure un témoin important de son siècle, non seulement par la qualité très personnelle de son œuvre, mais aussi par son immense historiographie qui englobe la presque totalité du XIXᵉ siècle et qui est, de ce fait, une source inépuisable de documentation civile, militaire ou politique.

Voir tableau p. 110.

Emmanuel Lansyer
(1835 - 1893)

Son père médecin s'opposant à sa carrière de peintre, Lansyer commence sa carrière artistique par des études architecturales en entrant en 1857 dans le cabinet de Viollet-le-

Duc. Si l'architecture n'est pas sa vraie vocation, il y apprend au moins le dessin précis, la mesure, les proportions. En souvenir de son maître, il peindra, en 1868, le château de Pierrefonds rebâti (Musée de Loches).

En 1861, Lansyer abandonne l'architecture pour s'inscrire à l'atelier que Courbet vient d'ouvrir, mais l'expérience est de courte durée car le maître délaisse rapidement ses élèves. Ceux-ci se répandent alors dans la campagne et Lansyer se rend à Cernay où il rencontre Achard, Français, Harpignies. Il trouve là sa véritable vocation de paysagiste et devient l'élève d'Harpignies.

Il devient vite célèbre : au Salon des Refusés de 1863, Napoléon III achète son *Bord de l'Océan* qu'avait rejeté le Salon officiel. À partir de cette époque, il expose chaque année des paysages peints dans toutes les régions de France, Bretagne, Ile-de-France, Midi, Nord et Vendée, sa terre natale. Il revient à Cernay plusieurs fois (1863, 1869, 1875).

Le Musée de Loches (Indre-et-Loire), inauguré en 1902, installé dans la maison de Lansyer, léguée par lui-même à la ville, abrite une partie importante de son œuvre (400 peintures et de nombreux dessins). Mais comme le peintre n'a cessé d'être apprécié de son vivant et que l'État s'est fréquemment porté acquéreur de ses toiles exposées au Salon, une vingtaine d'autres musées français, dont le Musée d'Orsay, en possèdent.

Voir tableau p. 29.

Albert Lebourg
(1849 - 1928)

Né à Montfort-sur-Risle dans l'Eure, mort à Rouen, Lebourg est un charmant « petit maître » de l'impressionnisme, fort heureusement révélé par son admirateur et biographe Léonce Bénédite, Conservateur du Musée du Luxembourg dans les années 1920 et qui l'a bien connu à la fin de sa vie.

Albert Lebourg fréquente très tôt l'Ecole municipale de peinture et de dessin de Rouen et commence à travailler en Normandie sur les bords de Seine. Sa palette, d'abord dans la tradition sombre des paysagistes de Barbizon, va par la suite, et grâce à un séjour de cinq ans à Alger, s'éclaircir de couleurs pures, de tons juxtaposés et se rapprocher de l'Impressionnisme, qu'il découvre à son retour en France en 1877 ; il participa à deux des expositions du groupe.

En 1888 il s'installe à Puteaux d'où il rayonne vers Sèvres, Saint-Cloud, Le Bas Meudon, Bougival et Saint-Germain. Jusqu'en 1895, il passe son temps entre l'Ile-de-France, Paris, Rouen et la Normandie.

À partir de cette époque, il voyage en Hollande, en Angleterre. De retour à Paris, il expose de nombreuses toiles (en 1899 : 42 toiles ; en 1918 : 216 peintures, 2 aquarelles, 51 dessins).

Par le catalogue raisonné de son œuvre, établi par Georges Bergaud dans l'ouvrage de Bénédite, nous savons que Lebourg a beaucoup peint dans les Yvelines, bien que ses toiles soient en grande partie dans des collections privées. Rien ne nous empêche néanmoins de les citer, car si elles évoquent des sites connus comme Bougival, Chatou, Carrières-sur-Seine, Marly ou Port-Marly, elles nous révèlent aussi d'autres lieux qui n'ont été que peu ou pas du tout fréquentés par les « grands » de l'Impressionnisme.

Ainsi, Lebourg a peint une dizaine de tableaux à Maisons-Laffitte, intitulés : *Le Pont de Maisons-Laffitte* ou *Petit bras de Seine à Maisons-Laffitte...*

Il a peint également de nombreux «bords de Seine» à Andresy, Conflans, Medan, Sartrouville, Triel, Vaux et Villennes, ainsi que *La terrasse de Saint-Germain au Printemps, Une allée du Parc de Versailles en hiver* et *Le pont du Vésinet* sur la Seine.

Si tous ces tableaux sont aujourd'hui inconnus, c'est que Lebourg est considéré en premier lieu comme un peintre de « l'École de Rouen » et qu'à ce titre, les recherches effectuées sur son œuvre concernent principalement la Normandie.

Évoquant en son impressionnisme inné davantage l'irisation que les vibrations, Lebourg a su créer un art délicatement poétique mais peu renouvelé.

Une vingtaine de musées français possèdent des œuvres de Lebourg dont le Musée d'Orsay et surtout Rouen, sa ville normande de prédilection.

Une étude intéressante de l'œuvre de ce peintre est parue en 1983, dont l'auteur, François Lespinasse, est rouennais (éditions A.C.K., Arras).

Voir tableau p. 65.

Maurice Leloir
(1853 - 1940)

Peintre de genre, d'histoire, aquarelliste, illustrateur, auteur de mises en scène (certains films du temps du muet sont restés célèbres : *Le masque de fer, Vingt ans après*), de peintures décoratives, Leloir est surtout connu par son *Histoire illustrée des costumes*, qui s'étend du XVIe siècle au XIXe siècle. Offerte à la Ville de Paris en 1920 et complétée à son décès en 1940, cette publication considérable est un monument indispensable à tous les artistes et constitue, augmentée de la riche collection de vêtements anciens de l'auteur, le fonds actuel du Musée Municipal du Costume.

Maurice Leloir est également l'auteur d'un incomparable *Dictionnaire du Costume* et fonde en 1906 la Société du Costume qu'il préside jusqu'à sa mort. Il fut également Président de la Société des Aquarellistes français.

Paysagiste à son heure et beaucoup moins connu en tant que tel, Leloir fréquente la célèbre Maison Fournaise à Chatou, immortalisée par Renoir. Là se retrouvent, à l'ombre ou sur les traces de l'Impressionnisme, ces nombreux « petits maîtres » comme Heilbuth (1826-1889) Jacomin (1843 ou 48 -1902), Maincent (1850-1887) ou Réalier-Dumas (1860-1928) que l'on commence à redécouvrir avec joie aujourd'hui, grâce notamment à des associations comme celle des Amis de la Maison Fournaise à Chatou.

Voir tableau p. 32.

Henri Le Sidaner
(1862 - 1939)

Henri Le Sidaner naît à l'Ile Maurice, mais ses parents s'installent en 1872 à Dunkerque où il passe sa jeunesse.

En 1884, il est reçu à l'École des Beaux-Arts de Paris, et grâce à une bourse de la Municipalité de Dunkerque, il entre dans l'atelier du peintre officiel Cabanel.

Le Sidaner expose au Salon à partir de 1887 et obtient sa première médaille en 1891 avec *La bénédiction de la mer* (Musée de Châlons-sur-Marne). Cette toile au sujet pris sur le vif, reflète, avec l'abandon de la peinture académique et l'influence de Manet et Monet, cette tendance réaliste qui préside à la première partie de son œuvre.

Puis, entre 1896 et 1899, son style change totalement, il devient symboliste et les tableaux de cette courte période, comme *Le Dimanche* (Musée de Douai), évoquent avec une grâce intemporelle les pastels de Puvis de Chavannes ou certains Nabis.

La troisième phase de l'œuvre de Le Sidaner est le retour au néo-impressionnisme. Il peint en touches juxtaposées de nombreux paysages autour de sa propriété de campagne à Gerberoy, dans l'Oise, voyage en Europe et affectionne les vieilles pierres des villes historiques (Bruges, Chartres, Versailles, Venise).

Ses effets de crépuscule ont été très particulièrement admirés par ses contemporains. Ses tableaux sont empreints d'une sorte de solitude et d'un silence mélancolique que nulle représentation humaine ne vient troubler.

Membre de l'Institut depuis 1930, Le Sidaner habite Versailles pendant la dernière période de sa vie. Plusieurs toiles représentent le Château ou le Parc : *Ciel de lune à Versailles* et certains ravissants sujets d'intérieur sont peints dans son appartement au 27 de la rue des Réservoirs : *Intérieur à la nappe rouge* (Musée de Cambrai). Il est enterré au cimetière de Versailles.

Voir tableaux p. 111 et 112.

Maximilien Luce
(1858 - 1941)

Le père de Maximilien Luce, bien que modeste employé municipal de la Ville de Paris, n'oppose aucune résistance à la vocation artistique de son fils unique. Le jeune homme commence donc un apprentissage de graveur à l'âge de 14 ans, et à 18 ans, il est ouvrier qualifié et entre dans l'atelier de gravure d'Eugène Froment qui travaille à l'illustration de journaux français et étrangers. Il fréquente l'atelier du peintre Carolus Duran ainsi que l'Académie « Suisse » et peu à peu, abandonne la gravure pour se consacrer à la peinture.

En 1887, lors de son premier envoi au Salon des Indépendants, il rencontre Pissarro, Seurat, Signac, Hayet et fait route pendant une dizaine d'années avec ce groupe de pointillistes dont il adopte la méthode. Désormais, il exposera à tous les Salons des Indépendants. Parmi les peintres du XIXe siècle, Luce est sans doute celui qui a le plus produit.

Il voyage beaucoup. Il se rend à Londres avec Pissarro, à Saint-Tropez chez Signac et surtout en Belgique en 1896 avec son ami Paul Verhaeren qui lui fait découvrir le bassin houiller de Charleroi. Il se sent proche du monde ouvrier qu'il défendra d'ailleurs avec virulence toute sa vie, et c'est le début d'une longue série de toiles représentant des scènes de la vie ouvrière, des personnages au travail, des ateliers, des chantiers ou des ponts en construction. Il peint avec un art, non seulement très particulier et original, mais encore avec un grand talent de dessinateur qui fait que ses toiles sont aussi des documents précis et intéressants sur le travail manuel de son époque. Citons *Fonderie à Charleroi, La Coulée, Portrait de travailleur, Chantier du métro à Issy-les-Moulineaux* (Musée M. Luce à Mantes).

En 1927, il achète un atelier (maison qu'il a souvent peinte dans un paysage où domine la douceur de vivre) à Rolleboise où il est déjà venu peindre à la belle saison, invité par son ami le peintre Alfred Veillet. Il travaille beaucoup dans la campagne environnante, entre Mantes et Rolleboise, et plus particulièrement sur un coteau s'abaissant doucement vers la Seine, à cet endroit particulièrement paisible. Ses nombreux paysages, qui ne sont plus en pointillisme, sont colorés, vivants et débordants d'un charme qui lui est tout à fait propre. Citons : *La baignade à Rolleboise, La Seine à Mantes, Rolleboise, arbres en fleurs* (Musée M. Luce à Mantes).

Luce garde son atelier jusqu'à sa mort et repose au cimetière de Rolleboise.

130 pièces de son œuvre ont été léguées à la Ville de Mantes par Frédéric Luce, son fils. Le Musée Maximilien Luce est créé en 1975.

Voir tableaux p. 66 et 76.

Jean-Louis-Ernest Meissonier
(1815 - 1891)

Charles Meissonier
(1844 - 1917)

Le père d'Ernest Meissonier tient une droguerie et sa mère, qui meurt lorsqu'il a dix ans, peint des motifs sur porcelaine. Après des études en province et quelques apprentissages dans le commerce qui ne satisfont ni le père, ni encore moins le fils

qui ne pense qu'à dessiner et peindre, Monsieur Meissonier est obligé de conclure amèrement que si un jour son fils arrive à vendre quelque chose, ce ne sera que de la peinture. Il ne peut mieux dire, le petit Meissonier deviendra un peintre d'envergure nationale et il vendra beaucoup.

En attendant, il s'instruit en parcourant les salles du Louvre et apprend son métier à la sauvette. Dès 1834, il expose au Salon et il a la chance de vendre, grâce à quoi son père consent à lui louer un atelier et à lui verser une modique pension.

En 1836, il entre chez l'éditeur de livres illustrés Curmer. Meissonier dessine très bien, et la documentation minutieuse et rigoureuse qu'il apporte à la moindre de ses illustrations et qui guidera toute sa vie, est fort appréciée. Il connaît alors chez Curmer ses premiers succès. Après une série de peintures de genre, à la manière du XVIIIe, la vraie vocation de Meissonier se révèle dans la peinture d'Histoire. Il s'y consacre presque entièrement à partir de 1859 : *Napoléon III à Solférino, Napoléon III et son état-major* ; son succès est énorme, et il obtient tous les honneurs. Il faut dire que ses œuvres, académiques et conformistes, sont très réconfortantes pour la bourgeoisie de cette seconde moitié du XIXe siècle, en proie à une lame de fond dont elle se défend à mort et qui va bientôt submerger de ses folles « impressions » toute la peinture de l'époque.

Il avait été décoré de la Légion d'Honneur en 1846 et en 1861 il est nommé membre de l'Institut. Meissonier possède, comme il se doit, un atelier et un hôtel particulier boulevard Malesherbes à Paris. Pourtant, il adopte Poissy dès 1845 en s'installant dans l'« Enclos de l'Abbaye ». C'est un vaste terrain divisé en propriétés privées, qui existe encore tel quel aujourd'hui, ceint de murs épais et flanqué d'une entrée moyenâgeuse, vestiges de l'ancienne abbaye dominicaine où se tint en 1561 le fameux Colloque de Poissy.

Ernest Meissonier épouse en 1840 Nathalie Steinheil qui lui donne deux enfants, dont Charles qui devient peintre : *Baignade à Carrières-sous-Poissy* (Musée d'Histoire de Poissy) et qui habite, lui aussi, toute sa vie dans l'Enclos de l'Abbaye. (Voir étude de J. Damamme, *Charles Meissonier, l'héritier, 1844-1917,* éditée par la Mairie de Poissy, 1988).

Maire de Poissy, Ernest Meissonier ne dédaigna aucune des obligations de sa charge. Lorsqu'il meurt, en 1891, le Président Sadi Carnot lui offre des funérailles nationales.

En 1895, l'Institut offre à la Ville de Poissy une majestueuse statue du peintre, due au sculpteur Mercié et que l'on peut voir aujourd'hui dans le Parc de la ville. Ce sera la dernière manifestation officielle avant que la mémoire d'Ernest Meissonier ne soit reléguée au purgatoire.

Voir tableaux p. 88 et 98 ; p. 25 et 90.

Claude Monet

(1840 - 1926)

Si Monet reste pour tous « le peintre de Giverny », nous ne pouvons oublier les quarante et quelques années qui ont précédé son installation définitive dans l'Eure. D'autant que le peintre a séjourné maintes fois dans les Yvelines, au gré de sa fortune… ou plus souvent de son infortune.

Lorsqu'en 1859, il quitte Le Havre où il a passé son enfance, pour Paris, il n'a en poche que quelques maigres économies gagnées par la vente de caricatures des notables de la ville, brossées avec succès et talent pendant plusieurs années. Ceci lui avait d'ailleurs valu de rencontrer Eugène Boudin, le peintre des côtes normandes, qui lui a révélé la peinture en plein air, et dès lors, plus rien ni personne ne peut empêcher son destin de s'accomplir. Il deviendra, bien que méconnu et rejeté durant des années, l'un des principaux acteurs de l'Impressionnisme.

Ses premières toiles des bords de Seine sont peintes à Bennecourt, petite localité qui fait face à Bonnières, de l'autre côté de la Seine, où Monet passe deux étés (1866-68) à l'instigation de Zola, un habitué de la misérable auberge-épicerie-buvette de la mère Dumont, au hameau de Gloton. Cézanne, ami d'enfance de Zola y vient aussi. Ils sont jeunes, inconnus, pauvres, momentanément insoucieux, ils se sentent à des lieues de Paris, se baignent, se promènent, débattent de vastes sujets jusqu'à des heures indues. Ils écrivent, peignent, et ils créent des chefs-d'œuvre (Zola a écrit *La Terre* à Bennecourt). Le second séjour de Monet à Bennecourt se termine mal. Il ne peut payer son loyer et sa logeuse le met à la porte. Sa compagne Camille Doncieux et son fils Jean sont recueillis par des villageois et lui s'en retourne à Sainte-Adresse. Mais son père, épicier modeste et bien-pensant est inflexible, il n'accepte ni la peinture extravagante de son fils, ni — encore moins — sa liaison. Heureusement, un amateur, M. Gaudibert, lui achète quelques toiles et sauve pour un temps la situation.

En juin 1869, sur les conseils de Renoir qui passe ses vacances à Louveciennes chez ses parents, les Monet s'installent à Bougival au hameau Saint-Michel. Les villages de Bougival, Louveciennes et Marly-le-Roi constituent véritablement le berceau de l'Impressionnisme. Monet et Renoir travaillent ensemble sur le même sujet. Ils peignent de concert la fameuse « Grenouillère », café flottant sur la Seine à Croissy (aujourd'hui disparu) où, c'est le moins qu'on puisse dire, ils trouvent matière à exercer leur talent. Tout y est : l'eau et ses reflets, la lumière, les ombrages, les barques, la guinguette, les lampions et surtout l'affluence d'une foule joyeuse que le Chemin de Fer Paris-Saint-Germain déverse chaque dimanche d'été sur les bords de Seine.

À la « Grenouillère », il se presse une clientèle de tous genres : sportifs aux maillots rayés, couples en goguette, canotiers, séducteurs, suborneurs et surtout, celles qu'on appelle les « grenouilles » (d'où le nom de l'établissement), « petites femmes » en quête non dissimulée d'aventures galantes. Elles sont bruyantes, délurées, libertines, grivoises, peinturlurées à outrance et les décolletés ou les formes arrondies de leurs robes aux couleurs violentes laissent entrevoir des avantages qui ne trompent pas. Elles appâtent le client et sont de bonnes recrues pour le patron. Maupassant les a merveilleusement décrites dans *La Maison Tellier.*

Lorsque Renoir rentre à Paris à la fin de l'été, Monet se tourne vers Pissarro qui vit à Louveciennes. Malgré la misère qui sévit autant chez l'un que chez l'autre, ils sont jeunes et résistants, ils sortent par tous les temps et vont ensemble peindre de nombreux tableaux d'hiver, *Effet de pluie, Effet de neige,* dans les environs. Au Printemps, Monet épouse Camille Doncieux qui lui donnera en 1878 un second fils.

Entre-temps, la guerre éclate. Monet se réfugie en Angleterre où il rencontre providentiellement Durand-Ruel. On connaît les goûts d'avant-garde de ce grand marchand parisien qui sortira souvent de situations alarmantes l'un ou l'autre des Impressionnistes.

Après la guerre, Monet s'installe à Argenteuil. C'est une grande période, faste, prolifique et confortable grâce au petit héritage de son père. À partir de cette époque, on peut considérer que Monet devient le chef du groupe impressionniste.

En 1876, il déménage de nouveau pour cause de dettes et loue une maison à Vétheuil. Il fait entre temps la connaissance du riche collectionneur Hoschédé qui, ruiné, vient se réfugier avec sa femme et ses six enfants dans la maison de Vétheuil. Les deux familles vivront dorénavant ensemble. Après la mort de Camille et d'Ernest Hoschédé, Monet épousera Alice Hoschédé.

En 1881, ils s'installent pour un séjour d'un an et demi à Poissy. Monet, toujours à la recherche d'inspirations nouvelles n'a pas été séduit par la ville. Ni la collégiale, ni le vieux pont n'apparaissent dans les toiles de cette époque.

En 1883, au printemps, le peintre se met en quête d'une autre demeure. Il retourne dans la région de Bennecourt et découvre Giverny. Ainsi commence la seconde partie de sa vie, durant laquelle son talent va peu à peu sortir de l'ombre. La renommée et la fortune surviennent, mais elles n'ont pas pour effet de ralentir son effort artistique : jusqu'à son dernier souffle, Monet poursuivra ses investigations. Il peut acheter sa maison en 1901, entreprendre ses voyages pour peindre et créer son exubérant jardin fleuri que nous pouvons encore admirer sur place ou retrouver dans de nombreux tableaux, avec ses iris d'eau, son pont japonais, le saule pleureur ou les coloris enflammés des merveilleux nymphéas. En 1922 est signé l'acte de donation à l'État des panneaux des *Nymphéas,* qui entérine la promesse faite à son ami Clémenceau au lendemain de l'Armistice de 1918 — en contrepartie, l'Etat lui avait acheté en 1921 *Femmes au Jardin* (1867, Musée d'Orsay). Ce n'est pas encore la gloire, en tous cas c'est une reconnaissance et l'on peut dire maintenant que le fameux mot « Impression » de son tableau *Impression, Soleil Levant,* 1872 (il fut volé en 1985, avec beaucoup d'autres toiles lors d'un cambriolage au Musée Marmottan) qui avait en son temps suscité la tempête de railleries que l'on sait, est sur le point d'entrer dans la légende en désignant à jamais l'une des plus grandes époques de la peinture.

Voir tableaux p. 17, 22, 26, 44, 60, 92.

Berthe Morisot
(1841 - 1895)

C'est heureux de pouvoir dire pour une fois d'un peintre et surtout d'un peintre impressionniste, qu'il naît dans un milieu aisé. En effet, le père de Berthe Morisot est préfet, érudit, cultivé et sa mère, d'après Berthe, a « de l'esprit, de la grâce, de la bonté ». Á partir de 1852, la famille habite Paris et Monsieur Morisot devient Conseiller à la Cour des Comptes. Berthe reçoit comme il se doit une « éducation de jeune fille de bonne famille ».

Rapidement elle s'emballe pour la peinture. Á 17 ans, Berthe passe des heures au Louvre à copier Le Titien ou Véronèse. Á

20 ans, elle est présentée au vieux maître Corot. C'est un événement pour elle. Toute sa vie, elle se souviendra des leçons en plein air données par ce peintre admirable. Il devient rapidement l'ami de la famille. Il faut dire que les parents de Berthe, non seulement ne se sont jamais opposés à la vocation de leur fille, qui aurait pu passer dans ce milieu de grande bourgeoisie comme élucubrations de jeunesse, mais encore, ils facilitent ses desseins en se liant d'une véritable amitié avec de nombreux artistes de renom.

En 1868, Berthe fait la connaissance d'Édouard Manet. C'est, après celle de Corot, la seconde grande rencontre de sa vie. D'abord parce qu'elle admire la peinture de Manet et qu'elle en subira l'influence, ensuite parce qu'en 1874, elle épouse Eugène, le frère d'Édouard. En attendant, elle pose beaucoup pour Manet et lui sert de modèle, notamment dans son tableau *Le Balcon*. Manet n'est d'ailleurs pas le seul à être impressionné et inspiré par cette femme-peintre de talent dont la nature passionnée explose dans ses yeux de braise. Renoir, Mallarmé, Valéry (qui dit de sa peinture qu'elle dispense « une caresse radieuse, idyllique, fine, foudroyante »), succomberont au charme, eux aussi.

Berthe Morisot séjourne souvent en Ile-de-France avec son mari et leur fille Julie née en 1878. Ils ont une maison à Bougival, qu'ils gardent plusieurs années pendant lesquelles Berthe peint une quarantaine de toiles se rapportant à la région : *Eugène Manet et sa fille dans le jardin à Bougival* (1883). Une nouvelle approche plus sophistiquée du thème et de la couleur caractérise toutes les toiles de Bougival.

En 1890 le couple quitte Bougival pour louer une maison à Mezy (la maison Blotière) qu'ils occupent jusqu'à ce qu'ils puissent acquérir en 1891 un petit château du XVIIe qu'ils découvrent en se promenant dans les environs. C'est le Manoir du Mesnil à Juziers. Ils en profitent malheureusement très peu car Eugène meurt en 1892. Bien qu'elle ait peint quelques trente-cinq tableaux dans ces deux maisons, Berthe décide de rentrer à Paris définitivement. Elle meurt trois ans plus tard à l'âge de cinquante-quatre ans. Elle laisse une œuvre importante qui a reçu durant sa vie autant de sarcasmes dans les salons que celles de tous les autres Impressionnistes, et qui n'est encore reconnue à sa mort que par quelques-uns de ses amis.

Julie, devenue Madame Rouart gardera la maison de Mesnil à Juziers. La famille Rouart l'habite encore aujourd'hui.

Voir tableaux p. 20, 74, 79.

Léon-Germain Pelouse
(1838 - 1891)

Léon-Germain Pelouse naît à Pierrelaye, dans le Val-d'Oise où il passe une partie de son enfance. Bien qu'attiré très tôt par la peinture, il ne commence à peindre vraiment qu'à 27 ans, après avoir exercé, malgré ses aspirations, et pendant onze ans, le métier de commis-voyageur.

Lorsqu'il décide de tout quitter, métier, famille, pour peindre, il ne s'inscrit à aucun cours et ne fréquente pas d'atelier de maître. Il apprend « sur le tas » ou plutôt sur le motif, car Pelouse est un paysagiste. Sa peinture, néanmoins, est grandement influencée par ses illustres aînés et encore contemporains : Corot, Daubigny ou Théodore Rousseau.

Pelouse possède un atelier à Paris, mais lorsqu'il découvre Cernay en 1870, il est subjugué par la nature, la profondeur des bois, le ruissellement de l'eau et l'atmosphère humide, moussue, sauvage, qui règnent dans cet endroit particulièrement pittoresque.

C'est là que Pelouse poursuit quelque dix ou vingt ans plus tard, après les Pré-impressionnistes (Achard, Français, Lambinet, Chintreuil, Harpignies ou Lansyer qui ont peint à Cernay), une œuvre qui profite avec modestie et sans déroger, des leçons de plein air de l'École de Barbizon. Il vit ainsi en retrait du bruyant mouvement de ses contemporains les Impressionnistes et c'est ce qui lui vaut de faire partie de ces « presque inconnus » que l'on appelle, peut-être à tort, les « petits maîtres du XIXe ». En tous cas, ses œuvres, peintes avec la plus grande sincérité, une extrême sensibilité et une grande poésie, nous laissent un témoignage émouvant de la peinture paysagiste de cette époque.

Pelouse obtient au Salon en 1873 une seconde médaille avec *Le matin dans la Vallée de Cernay* et une première médaille en 1878 avec *Une coupe de bois à Senlisse*. Il n'en faut pas tant pour devenir célèbre à Cernay (entouré de nombreux élèves il parcourait les Vaux-de-Cernay et l'immense propriété de la famille Rothschild qui lui prêtait là un atelier confortable) et celui qui est resté vingt ans fidèle à cette charmante petite ville est considéré là-bas, à juste raison, comme un enfant du pays. Témoin ce monument à sa mémoire, sculpté par son ami Falguière et placé en plein bois, non loin des petites cascades ou « bouillons de Cernay » qui attirent encore aujourd'hui de nombreux promeneurs. Un hommage rendu à ce peintre a réuni 35 de ses œuvres, en 1987 à la Mairie de Pierrelaye.

Voir tableau p. 28

Camille Pissarro
(1830 - 1903)

Bien que Pissarro soit le peintre de Pontoise, où il a d'ailleurs un petit musée, on ne peut passer sous silence ses séjours à Louveciennes.

C'est sur les conseils et sous l'influence capitale de Corot qu'il découvre les paysage d'Ile-de-France.

En effet, Pissarro est né aux Antilles. Son père tient un négoce de produits européens et Camille passe sa jeunesse dans une atmosphère remuante et colorée, gaie, bruyante, pleine d'épices, de fleurs, de plantes tropicales. Aussi, lorsqu'il arrive à Paris en 1855, tout lui semble gris, terne, il est imprégné des paysages de son enfance et le mal du pays le ronge. Son cœur est resté aux Antilles. Les tableaux qu'il peint à cette époque sont des visions nostalgiques de ses rêves d'enfant.

Il faudra plusieurs années avant que Corot, qu'il admire énormément, arrive à le persuader que la France aussi recèle dans sa campagne des trésors inépuisables. Dès lors, Pissarro n'a de cesse de planter son chevalet dans cette nature qu'il découvre enfin et dont il va explorer si consciencieusement, en toutes saisons et durant toute sa vie, les multiples contrastes.

Il s'installe à Louveciennes en 1869 où il loue une partie d'une grande demeure appelée « La Maison Rotrou » au 22, route de Versailles et où il peint, parfois en compagnie de Monet, de nombreuses toiles : *Entrée de la forêt de Marly, effet de neige* (1868-1869), *Effets de neige rue de Louveciennes* (1870). Ils peignent d'ailleurs tous deux la même route de Louveciennes sous la neige. Pauvre parmi les pauvres,

Pissarro n'hésite pas à nourrir quand il le peut, Monet et sa famille qui vivent à cette époque dans un dénuement pire que le sien.

En 1870, la guerre l'oblige à quitter la France. Il se réfugie à Londres avec sa femme et ses enfants. Il peint peu en Angleterre où il se sent étranger. Il a de nouveau le mal du pays, mais cette fois-ci, c'est de la France et plus particulièrement de l'Ile-de-France qu'il s'agit.

Lorsqu'il rentre à Louveciennes, en juin 1871, le comble du malheur pour un peintre lui est arrivé. Les Prussiens ont saccagé son atelier, se sont servi de ses toiles pour recouvrir le sol et ont détruit quelque 1500 tableaux. Bien que très affecté, il reprend ses pinceaux sans se plaindre *(La route de Rocquencourt,* 1871, *Entrée du village de Voisins,* 1872, Musée d'Orsay). Pourtant, il est pauvre, il vend très peu et il souffre aussi, comme ses amis Impressionnistes, d'être sans cesse « refusé », incompris, et d'atteindre souvent la limite de la misère. Il quitte Louveciennes en avril 1872. En 1883 il s'installe définitivement à Éragny-sur-Epte près de Gisors.

C'est à partir de 1891 que son ciel s'éclaircit. Les grands marchands commencent à s'intéresser à sa peinture. Durand-Ruel lui achète en 1893 une grande partie de sa production qui ira d'ailleurs grossir les collections américaines. Qu'importe ! Pissarro peut maintenant manger à sa faim, voyager un peu et envisager de se rapprocher de Paris.

Lorsqu'il meurt en 1903, il n'est encore qu'un inconnu. Seuls quelques amis et parents l'accompagnent tristement jusqu'au Père Lachaise.

Voir tableaux p. 41, 62, 71, 116, 123.

Pierre Prins
(1838 - 1913)

Prins, peintre de paysages, sculpteur, naît à Paris dans une famille d'artisans artistes. Sa mère, qui lui donne ses premières leçons de dessin, peint des fleurs, ses grands-pères sont l'un héraldiste, l'autre sculpteur et graveur sur bois, ivoire, fer forgé. Lorsque son père, négociant en bois exotiques, meurt en 1881, le jeune garçon est embauché dans l'atelier de son grand-père sculpteur. Après quelques années d'apprentissage, il suit des cours aux Arts Décoratifs et s'oriente vers la sculpture, la peinture et le pastel.

Influencé d'abord par Corot, il ne tarde pas, en fréquentant le Café Guerbois, à rencontrer ses contemporains avec lesquels il va vivre les débuts de l'aventure impressionniste. Il devient l'ami de Monet,, Pissarro, Sisley et surtout Manet. En 1863, il peint une des premières *Grenouillère* (voir Monet) dans l'Ile de Croissy.

En 1869, il épouse la violoniste Fanny Claus qu'il rencontre aux soirées musicales de Manet. Fanny sert de modèle à Manet dans son fameux tableau *Le Balcon* (Musée d'Orsay) où elle est représentée debout, aux côtés de Berthe Morisot et du peintre Guillemet. Il est lié avec Zacharie Astruc, Roger Milès, Stéphane Mallarmé et tout ce qui comptait dans l'Art et la critique de son temps.

Prins, par un concours de circonstances, ne participe pas à la première exposition des Impressionnistes qui a lieu en 1874 dans un entrepôt prêté par Nadar. Alors qu'il se trouve en Belgique, un ami à qui il a confié ses toiles à Paris, oublie de les porter à la galerie. Par la suite, il n'expose jamais avec les Impressionnistes, car lorsqu'il rentre à Paris en 1877, après la mort de sa femme, le groupe des Impressionnistes dont il aurait dû normalement faire partie, a déjà exposé trois fois et il se sent exclu. De plus, modeste et discret, il redoute les polémiques tapageuses suscitées par les expositions de ses amis. « Vous êtes un bucolique », lui avait dit Manet.

Sur le conseil de celui-ci, il se réfugie à la campagne et c'est dans la solitude qu'il poursuit son travail. Il peint sur le motif dans les environs de Paris à Bougival, Chevreuse, Conflans, Rochefort-en-Yvelines ou Triel : *Le clocher de Conflans-Sainte-Honorine, Les saules à Rochefort-en-Yvelines, La Seine à Triel.*

En 1903, il s'installe à Grosrouvre qu'il connaît de longue date *(Le vallon de Grosrouvre,* 1882, *Meules à Grosrouvre),* près de Montfort-L'Amaury où, avec quelques amis, il fonde le « Salon au Village ».

De 1882 à 1912, il expose au Salon et participe à de

nombreuses expositions en France et à l'étranger qui lui valent un succès constant.

Á sa mort, en 1913, son atelier, selon ses dernières volontés, reste fermé pendant 30 ans. Ce n'est donc qu'en 1943 que réapparaît, à l'émerveillement de quelques amateurs, l'œuvre de ce « franc-tireur de l'Impressionnisme » (*L'Illustration*, 3 avril 1943). Les peintures et les pastels, soigneusement conservés par ses descendants ont gardé l'incomparable fraîcheur et la sensibilité aux variations de la lumière selon les heures et les saisons que Prins, dans une traduction émouvante et spontanée de sa tendresse pour la nature, avait su leur donner de son vivant.

Mais, après ces trente années de retrait volontaire, ce n'est pas en 1943 que pouvait être accueilli comme il le méritait un si bel hymne à la nature. La peinture se préoccupe alors de bien d'autres modes d'expression et le souvenir de Pierre Prins sort à peine de l'ombre. Il s'ensuit que sa cote actuelle est assez faible en regard de celles qu'atteignent la plupart de ses compagnons Impressionnistes.

Les musées Carnavalet et d'Orsay possèdent des œuvres du peintre.

Voir tableau p. 53.

Gustave Ravanne
(1854 - 1904)

Peintre de genre et paysagiste, Ravanne naît à Meulan et meurt aux Mureaux, deux villes des Yvelines.

Élève du peintre Bonnat, il expose régulièrement au Salon, à partir de 1886, des paysages ou des marines peints sur les bords de la Seine, de la Marne ou sur les côtes normandes.

Membre de la Société des Artistes français, il obtient des récompenses en 1887, 1889, 1890 et la décoration de Chevalier de la Légion d'Honneur.

Les musées de Bourg, Bayeux, Bayonne, Pau, Rouen conservent des œuvres de Ravanne, ainsi que la Mairie de Meulan qui possède *Le pont aux perches de Meulan*.

Voir tableau p. 78.

Raymond Renefer
(1879 - 1957)

Raymond Fontanet, dit Renefer, naît à Bétheny, près de Reims. Fils d'ingénieur, il fait des études scientifiques approfondies avant de s'inscrire à l'École des Beaux-Arts de Paris.

Il change alors totalement de vie, satisfait enfin à sa vraie vocation et prend pour sa nouvelle carrière artistique le pseudonyme de Renefer.

D'abord dessinateur, il exécute un nombre incalculable de croquis pris sur le vif, avec une dextérité incomparable. Tout ce qui bouge dans Paris, la rue, les squares, les cafés, l'intéresse. Lorsqu'en 1914, il est mobilisé, il ne cesse de dessiner et ses carnets de guerre sont un remarquable témoignage historique de la vie des poilus sur le front. Le Musée de l'Armée, aux Invalides, les a d'ailleurs exposés en 1979, à l'occasion du centenaire de la naissance du peintre.

En 1928, il s'établit à Andresy où il passe le reste de sa vie. Ce post-impressionniste, amoureux de la nature, indifférent aux remous de la peinture moderne et du cubisme en particulier, continue à planter son chevalet partout où il se trouve. Il fait de nombreux tableaux à Andresy et ses environs : Poissy, Carrières-sous-Poissy, Conflans, Chanteloup-les-Vignes. Il aime particulièrement l'eau, les berges, les ponts, les péniches, qui sont tout le charme de cette région située au confluent de la Seine et de l'Oise.

Une dizaine de musées français et étrangers possèdent quelques toiles de Renefer (dont Carnavalet, le musée des Invalides, le musée de l'Ile-de-France à Sceaux, le musée d'Art Moderne de la Ville de Paris, les musées du Havre, de Châlons, de Madrid, de Tokio) mais la plupart de sa très grande production se trouve dans les collections privées.

Quarante toiles du peintre ont été exposées en 1988 lors d'un hommage que la municipalité d'Andresy lui a rendu.

Voir tableaux p. 15, 31, 42, 90.

Pierre-Auguste Renoir
(1841 - 1919)

Renoir naît à Limoges dans un milieu d'artisans modestes. Son grand-père est sabotier, son père est tailleur et sa mère couturière. La famille qui comporte sept enfants s'installe à Paris en 1844. Comme le jeune Auguste manifeste très tôt du goût pour le dessin, dès l'âge de 13 ans, ses parents qui n'ont pas oublié Limoges, le placent chez un peintre sur porcelaine où il apprend « un bon métier ». Et de fait, il acquiert une telle habileté que, plus tard, il y recourt souvent pour brosser rapidement quelqu'enseigne de boutique ou décoration de café, ce qui lui permet de subvenir à ses modestes besoins. Renoir est d'une sobriété remarquable et s'il évite de justesse la misère, il supporte avec une sérénité souriante les aléas de sa pauvreté.

En 1862, il entre à l'École des Beaux-Arts dans l'atelier de Gleyre et rencontre Monet, Sisley, Fantin-Latour, Bazille (ce dernier qui promettait aussi d'être un « grand » meurt à la guerre de 1870 à 29 ans). À Gleyre, qui l'apostrophe ainsi : « C'est sans doute pour vous amuser que vous faites de la peinture », Renoir répond :
« Mais certainement, et si ça ne m'amusait pas, je vous prie de croire que je n'en ferais pas ».
Son biographe ajoute : « Tout Renoir est dans cette réponse ». Avec eux il va découvrir les palettes claires, les couleurs vives, les sujets pris dans la vie quotidienne, admirer Manet et attraper le virus de ce que Bazille appelle alors la « Renaissance », faute de connaître le terme « Impressionnisme » qui n'est pas encore entré dans le vocabulaire de la peinture.

Si Renoir n'a pas vécu dans les Yvelines, il y a fait de fréquents séjours et surtout, il y a peint des toiles très importantes.

En 1868, ses parents se retirent près de Louveciennes. Ils y demeurent jusqu'à la fin de leur vie, 1874 et 1896 (ils sont d'ailleurs tous deux enterrés à Louveciennes) et Renoir, durant cette période ne cesse de leur rendre visite.

En 1869, il séjourne donc chez eux tout l'été, mais en réalité, il passe le plus clair de son temps chez son ami Monet à Bougival. Celui-ci est dans une extrême misère et Renoir lui vient en aide comme il peut, c'est-à-dire bien peu. « On ne bouffe pas tous les jours », écrit-il à Bazille. Pourtant, ils travaillent beaucoup ensemble, ils découvrent les bords de Seine, plantent leur chevalet dans le même site et peignent côte à côte leurs célèbres *Grenouillère* (voir Monet). Sur le motif, ils oublient complètement leur existence difficile et si leurs tableaux sont spontanés et gais, colorés, merveilleux, s'ils reflètent un insouciant enchantement, ce sont aussi de vrais morceaux de bravoure qui font fi de toutes les lois de la peinture d'alors et qu'à leurs dépens, le monde ne comprendra que bien des années plus tard.

Pendant la Commune, Renoir est de nouveau à Louveciennes. Le 24 mai 1871, il assiste du haut de l'Aqueduc de Marly à l'embrasement de Paris. Les temps sont tristes et durs. Les rares marchands de tableaux ont disparu, ses amis ont fui la capitale, Bazille est mort. Seul, Sisley est demeuré à Louveciennes et ensemble ils brossent quelques paysages des environs *(La Seine à Chatou*, 1871). Par chance, Renoir trouve à Versailles une commande de portraits qui vient à point en attendant des jours meilleurs. Contrairement à Sisley qui est un pur paysagiste, Renoir s'intéresse de plus en plus à la

représentation humaine qui deviendra l'essentiel de son œuvre.

Après la guerre, il acquiert un début de notoriété dans les salons parisiens en portraiturant des femmes à la mode ou des petites filles dans leurs robes enrubannées. Pourtant Renoir, dans sa simplicité et sa sagesse, n'est pas à l'aise dans l'atmosphère frelatée des salons. Les toilettes distinguées, les teints pâles de ces dames ne valent pas les frais minois et les formes arrondies des petites cousettes ou des blanchisseuses qu'il rencontre dans les guinguettes des bords de Seine. Ce sont celles-là qu'il aime et une, en particulier, qui possède tous ces charmes réunis avec de surcroît, un adorable petit nez retroussé, un teint d'abricot, une bouche à croquer. C'est Aline Charigot, couturière de son état, de vingt ans la cadette de Renoir. Il la rencontre en 1879 et dès cette année-là, elle devient son modèle favori.

Entre 1875 et 1882, Renoir se rend souvent, en été, à l'hôtel-restaurant Fournaise dans l'île de Chatou (la maison est actuellement restaurée par les « Amis de la Maison Fournaise »). L'ambiance y est plus « sérieuse » qu'à « La Grenouillère » et l'endroit tout aussi charmant. On y passe entre amis de merveilleux dimanches et les toiles de cette époque, qui sont essentielles dans l'œuvre de Renoir, rayonnent d'une heureuse joie de vivre à laquelle la jeune Aline Charigot n'est peut-être point étrangère. Renoir lui-même déclare : « J'aime les peintures qui me donnent envie de m'y promener si ce sont des paysages et de les caresser si ce sont des femmes ».

En 1880, Renoir entreprend la composition de son célèbre *Déjeuner des Canotiers*. La terrasse du restaurant Fournaise lui sert de cadre, ainsi que la Seine et le pont de Chemin de Fer dans le lointain. Les 14 personnages qui composent le tableau sont des amis du peintre ou des habitués du restaurant, et l'on reconnaît, assise à gauche sous son chapeau fleuri, Aline Charigot. Sa frimousse pouponne et ses formes rondes ont tant inspiré Renoir qu'on ne peut la dissocier de son œuvre, même lorsqu'il s'inspire d'autres modèles, comme c'est le cas de Suzanne Valadon qui pose pour *La danse à Bougival.*

Renoir épouse Aline Charigot en 1890. Ils ont déjà un fils, Pierre, né en 1885 et deux autres suivront, Jean le cinéaste, né en 1894 et Claude qui naît en 1901, lorsque Renoir a l'âge d'être grand-père et que les rhumatismes commencent à lui durcir douloureusement les articulations.

En 1892, l'exposition de 110 œuvres de Renoir chez le marchand de tableaux Durand-Ruel est un triomphe.

Entre 1895 et 1900, il revient encore de temps à autre à Louveciennes où habite son amie et ancienne élève Jeanne Baudot. Mais de plus en plus, Renoir se réfugie dans le Midi, espérant que le soleil et le climat sec soulageront ses rhumatismes. Hélas, le mal ne cesse d'empirer et le vieux peintre finit par se déplacer dans un fauteuil roulant, et peindre un pinceau attaché à ses doigts recroquevillés. Pourtant, il travaille jusqu'à la veille de sa mort et alors qu'il termine une ultime nature morte, et qu'il a peint quelque 4 000 toiles dans sa vie, il dit modestement : « Je crois que je commence à y comprendre quelque chose ».

Voir p. 21, 34, 35, 36, 45.

François Edme Ricois
(1795 - 1881)

Peintre paysagiste de l'École Française, Ricois fut élève de Girodet.

Il débute au Salon en 1824 et participe à de nombreuses expositions dans diverses villes de province.

Maître reconnu, il dirige un atelier d'élèves durant une grande partie de sa vie.

Il voyage à travers la France et plante aussi son chevalet dans les alentours de la Capitale : Dampierre, Marly-le-Roi, Saint-Germain-en-Laye, Versailles…

Outre le Musée de l'Ile-de-France à Sceaux, où se trouve *Dampierre, le château,* le Musée de Versailles possède une *Vue du Château de Versailles, prise du parterre d'eau.*

D'autres musées comme ceux de Cambrai, de Chartres, le musée Carnavalet à Paris conservent également des œuvres de François Edme Ricois.

Voir tableau p. 47.

Auguste Rodin
(1840 - 1917)

Rodin, né en 1840, la même année et le même jour que Monet, est le premier sculpteur français impressionniste dont la technique révolutionne tous les critères en place à l'époque. Il subit donc, avant que son génie ne soit reconnu (vers 1890) le sort de ses amis les Impressionnistes, dont les œuvres sont refusées de Salon en Salon.

Si nous l'évoquons dans cet ouvrage sur la peinture, c'est qu'il a exécuté plusieurs milliers de dessins parmi lesquels nous trouvons des églises des Yvelines. Passionné par l'art gothique, Rodin nous a laissé des dessins d'une habileté remarquable, qui traduisent une parfaite compréhension de cette architecture.

Citons : *Les arcs-boutants de l'église Saint-Pierre à Montfort-l'Amaury, Moulures et abside de l'église Collégiale Notre-Dame à Mantes* et surtout, *L'église Saint-Jacques et Saint-Christophe à Houdan,* où le sculpteur a séjourné plusieurs fois, à l'hôtel de la Coupe d'or, dans les années 1890. En bas du dessin de l'église, il a laissé cette note, à la mine de plomb « cette belle et adorable église a tout ce que j'ai pressenti ».

Voir dessins p. 56 et 82.

Henri Rousseau dit le Douanier
(1844 - 1910)

Le Douanier n'a pas vécu dans les Yvelines, mais il a néanmoins peint une *Une vue de la Cathédrale de Mantes-la-Jolie* (1897) et son tableau *Promenade en forêt de Saint-Germain* nous rappelle qu'il a quelques attaches affectives avec la ville de Saint-Germain-en-Laye.

En effet, il raconte qu'en 1868, il se rend officiellement à Saint-Germain demander la main de Clémence Boitard, « dans une petite rue derrière l'église » où demeure sa future belle-famille. Il épouse Clémence en 1869.

Julia Bernard-Rousseau, qui fut l'unique survivante des sept enfants du Douanier, se souviendra plus tard des promenades

en forêt de Saint-Germain quand, avec ses parents, ils allaient le dimanche rendre visite à la famille Boitard. Julia n'avait que 12 ans lorsque Clémence mourut, mais les souvenirs de son enfance restaient intensément gravés dans sa mémoire et elle assurait reconnaître sa mère dans la promeneuse solitaire de ce tableau. C'est du moins ce qu'affirme Yann le Pichon dans son excellent ouvrage *Le monde du Douanier Rousseau,* où il relate son entretien avec la fille du peintre. Nous nous permettons d'insister sur ce fait, car dans la plupart des ouvrages concernant l'œuvre du Douanier Rousseau, ce tableau est simplement intitulé *Promenade en forêt.* Á propos de ce tableau, une réplique du peintre au cours d'une de ses conversations avec le célèbre marchand Vollard est souvent citée : « — Monsieur Rousseau, comment avez-vous pu faire passer tant d'air à travers ces arbres ?

— En observant la nature, monsieur Vollard ».

Voir tableau p. 103.

Ferdinand Roybet

(1840 - 1920)

Peintre de genre, d'Histoire et portraitiste très en vogue, Roybet connaît un grand succès en portraiturant ses contemporains dans des costumes de mousquetaires fringants, reîtres ou hallebardiers, gentilhommes ou riches seigneurs. Certaines scènes inspirées du XVIIᵉ siècle hollandais accusent une sobriété dans l'expression et une décision dans la touche qui sont d'un excellent peintre.

Dès l'âge de 25 ans, la Princesse Mathilde lui achète une toile présentée au Salon, *Un fou sous Henri III,* qui lui vaut l'éloge de toute la critique conservatrice de l'époque. Bien que Roybet soit né la même année que Monet, il fait fi de la peinture moderne et rien parmi le nombre considérable de ses productions ne peut laisser supposer que son œuvre s'accomplit conjointement à celle des Impressionnistes.

Certains riches collectionneurs s'intéressent à lui, c'est ainsi que le Commandant Olympe Hériot, héritier des Magasins du Louvre, lui commande une toile de 3 mètres sur 4 pour orner l'escalier monumental de son château de La Boissière. Roybet y représente toute la famille de son commanditaire, attablée en une scène pseudo-historique, rappelant par sa composition les célèbres *Noces de Cana* de Véronèse.

Monsieur Olympe Hériot fonde en 1866 à la Boissière une école pour orphelins de militaires de carrière et le château est offert après sa mort à l'orphelinat du village qui prend le nom de La Boissière-École. L'école existe toujours et l'on peut encore y contempler la décoration de Roybet qui constitue l'une de ses œuvres magistrales.

La ville de Courbevoie possède le Musée Roybet-Consuelo-Fould ouvert en 1952 où sont conservées quelques toiles du peintre.

Voir tableau p. 18.

Alfred Sisley

(1839 - 1899)

Sisley est de nationalité anglaise. Ses parents, tous deux anglais, vivent à Paris et sont des bourgeois aisés et cultivés.

Lorsque le jeune Alfred a 17 ans, son père l'envoie à Londres afin de le préparer à une carrière commerciale d'import-export. Disons tout de suite qu'il peint déjà, qu'il ne rêve que de peinture et que le commerce du coton ou du café ne l'intéresse guère. Par contre, il fréquente les musées du matin au soir et s'attarde avec enthousiasme devant les grands paysages de Constable ou de Turner. C'est une évidence, il doit devenir peintre !

Dès son retour, il parvient à convaincre ses parents de cette réalité. On pourrait presque dire de cette fatalité, car, après que la guerre de 1870 eut ruiné son père, Sisley sera, sa vie durant, le plus pauvre, le plus désargenté et le moins reconnu de tous les Impressionnistes. Si son nom évoque aujourd'hui le grand peintre paysagiste qu'il fut, lui n'en saura jamais rien. Ce n'est qu'après sa mort que l'un de ses plus beaux

tableaux, *Inondation à Port-Marly,* obtient pour la première fois un tel succès qu'il est vendu près de 250 fois le prix qu'il en avait lui-même difficilement obtenu de son vivant.

Pendant la Commune, Sisley se réfugie avec sa femme et ses deux enfants dans le hameau de Voisins (2 rue de la Princesse) à Louveciennes, près de chez Renoir. Il y reste quatre ans pendant lesquels il explore de ses pinceaux tous les sites environnants : *Un coin de Louveciennes* (1872), *Louveciennes, le Chemin de Sèvres* (1873), etc.

En 1875, il s'installe à Marly, 2 avenue de l'Abreuvoir. Il est pauvre, très pauvre, ses amis sont obligés de lui venir en aide pour payer son loyer. Il organise avec Berthe Morisot, Monet et Renoir des ventes à Drouot, mais ses toiles se vendent peu, et ce qui est pire, personne ou presque n'en parle. N'importe ! Il continue à travailler par tous les temps, en toutes saisons. Pendant l'automne 1876, il peint plusieurs *Inondation à Port-Marly* (le site existe encore aujourd'hui, inchangé) et l'hiver neigeux lui sert aussi de modèle : *La neige à Louveciennes* (1878, Musée d'Orsay). Sisley est par excellence un peintre paysagiste, il n'a peint ni natures mortes, ni portraits. Seules quelques silhouettes de personnages viennent parfois animer ses décors.

Le peintre passe les dernières années de sa vie dans la petite ville de Moret-sur-Loing. Toujours anglais de nationalité, il entreprend en 1895 des démarches administratives pour acquérir la nationalité française. Mais les lenteurs de l'administration et la maladie, dont il commence à ressentir les graves effets, feront qu'il mourra trop tôt pour mourir français.

Sisley n'a que 60 ans lorsque, dans sa maison de Moret, un cancer a raison de lui. Renoir, Monet et quelques autres amis viennent de Paris. Ils forment le modeste cortège qui accompagne vers le cimetière de la ville un peintre presque anonyme.

Voir tableaux p. 24, 27, 68, 72, 85, 91, 122.

William Turner
(1775 - 1851)

Fils d'un barbier londonien, Turner reçoit peu d'instruction, mais sa vocation de peintre apparaît très tôt et son père, faute de mieux, le place comme petit commis dans des cabinets d'architectes ou chez des marchands de gravures. Tout son temps libre, l'enfant le passe dans les rues de sa ville ou sur les berges de la Tamise à dessiner ou peindre des aquarelles.

Á quatorze ans, il est accepté comme élève à la Royal Academy, fait remarquable pour un aussi jeune autodidacte. L'année suivante, il y expose une aquarelle pour la première fois, car il ne commence à peindre à l'huile qu'en 1796. Il faut dire que l'aquarelle est presque un art national en Angleterre à la fin de ce XVIIIᵉ siècle, un art qui étudie sur le vif la nature et le paysage.

Il ne se déplace jamais sans ses carnets de croquis, dans lesquels il note paysages, monuments ou ruines remarquables.

En 1802, déjà connu et apprécié, il est élu membre de la Royal Academy, ce qui est une fois encore, tout à l'honneur d'un jeune homme de 27 ans.

C'est à partir de cette année-là qu'il entreprend son premier voyage sur le Continent, qu'il ne cessera de parcourir en tous sens pendant près d'un demi-siècle. Il rapportera de ces voyages à travers l'Europe 267 carnets de croquis faits au crayon, à la plume, rehaussés de pierre noire ou de craie blanche, de gouache ou d'aquarelle, dont 49 se rapportent entièrement à la France et contiennent quelque 3000 croquis dessinés de Calais à Marseille.

Les années 1822-23 marquent un tournant dans la carrière de Turner : il devient le précurseur du plein air, de la lumière, de l'eau.

En 1832, il séjourne en Ile-de-France et de nombreux croquis, gouaches ou aquarelles nous montrent des vues du Château de Versailles, du Grand Trianon, de la Terrasse de Saint-Germain, du Pecq, du vieux pont de Poissy, de Marly et de Mantes.

Il visite les environs de Paris, Versailles, Rambouillet, Saint-Germain, Fontainebleau, pour rassembler des éléments pour l'illustration d'une nouvelle édition de *La vie de Napoléon* de Walter Scott.

Tous ces carnets ainsi que toutes les toiles que possédait Turner ont été légués par lui-même à son pays et se trouvent à Londres au British Museum ou à la Tate Gallery. C'est là que vingt ans après sa mort, Monet et Pissarro, réfugiés à Londres pendant la Commune, iront découvrir avec un enthousiasme fou ce peintre précurseur qui a su si tôt et d'une façon aussi extraordinaire donner à ses paysages cette lumière unique, fugitive, spontanée, qu'on peut aussi appeler «impression».

Voir tableaux p. 69, 77, 101.

Maurice Utrillo
(1883 - 1955)

Utrillo naît à Paris de père inconnu et de Suzanne Valadon, peintre. Reconnu à l'âge de huit ans par l'espagnol Miquel Utrillo, ancien ami de sa mère, l'enfant n'accepte qu'avec révolte la fausse paternité à retardement de cet étranger au grand cœur. Il ne prétend porter que le nom de sa mère à qui il voue une véritable passion. Toute son enfance passée auprès de sa grand-mère est déchirée par l'absence de sa mère qui mène à Montmartre une vie de bohème terriblement tumultueuse et dont il est complètement rejeté.

Sa grand-mère, brave paysanne ignorante, complètement désarçonnée par le chagrin et les crises de larmes de l'enfant, ne trouve rien de mieux pour le calmer que d'allonger sa soupe du soir d'une rasade de vin rouge. L'accoutumance aidant et la ration augmentant, est-ce là que s'est joué peu à peu le drame d'Utrillo? Toujours est-il qu'à l'âge de huit ans, il boit et qu'il ne cessera plus de boire, passant d'asiles en maisons de santé, ivrogne invétéré, bon à rien, maigre, cireux, incurable, au visage poignant.

L'histoire pourrait s'arrêter là si un certain docteur Ettlinger, qui connaît bien Utrillo, ne suggère un jour à Suzanne Valadon d'apprendre à son fils la peinture. Il a alors dix-huit ans. Le reste, nous le connaissons : son œuvre, son talent pathétique et enfantin, ses bistrots, ses rues de Montmartre… sa vie orageuse avec sa mère, son atelier aux fenêtres grillagées, ses crises de délirium, ses fugues et ses dépressions d'homme déchu.

En 1935, Utrillo épouse Lucie Valore, veuve dominatrice, excentrique et tapageuse, de sept ans son aînée. Suzanne Valadon a pris soin de caser son fils avant de mourir en 1938 et, en effet, il est dorénavant placé sous haute surveillance.

Le couple s'installe au Vésinet en 1936, route des Bouleaux, dans une maison où a vécu Antoine Bourdelle et que Mme Utrillo baptise rapidement «La Bonne Lucie». Cette maison tranquille est assez éloignée de Paris pour éviter la tentation des fugues et, surtout, les bistrots ne fleurissent pas dans les alentours.

D'une prison l'autre, la vie du peintre ne change guère, sauf qu'il est devenu célèbre et que Lucie Valore, veillant précieusement au grain, entretient la cote de «son grand homme» en l'exhibant dans toutes sortes de manifestations mondaines, pauvre pantin désarticulé, muet et tragique, affublé d'une lavallière ou d'un smoking qui flotte sur son corps décharné.

Il vit ainsi 17 ans au Vésinet, reclus dans son atelier où il peint de mémoire ou d'après des cartes postales ou des reproductions de ses premières œuvres. S'il travaille bien, il a droit à un verre de vin coupé d'eau, comme le faisait sa mère. Il est devenu très pieux, entretient des relations suivies avec le chanoine Collin de la paroisse du Vésinet qui dira plus tard de lui qu'il avait «une foi d'enfant». Un jour, il fait encore une fugue, il trompe l'attention de son gardien, prend l'autobus et se rend à Saint-Germain déguster dans un café quelques verres de vin rouge. Ce sera sa dernière aubaine car la maison «La Bonne Lucie» est munie dès le lendemain d'un système d'alarme.

Utrillo meurt à 72 ans, lors d'une cure à Dax. Lucie Valore aura certes contribué par ses soins constants à maintenir en vie ce mort-vivant, mais ceux qui l'ont connu dans les dernières années de sa vie ne peuvent oublier le visage bouleversant de ce vieillard au regard d'enfant traqué.

Voir tableaux p. 46, 57, 83, 113, 117, 119, 121.

Alfred Veillet
(1882 - 1958)

On ne peut négliger de citer ce peintre du Mantois, bien qu'il soit encore peu connu du grand public. Cette méconnaissance vient du fait que les grands mouvements qui bouleversent la peinture au début de notre XXe siècle éclipsent complètement ceux qui, comme Alfred Veillet, y vivent tranquillement en marge. Braque est né la même année que lui et Picasso l'année précédente, mais pour Alfred Veillet, point de cubisme ni d'abstrait, il demeure un peintre du XIXe dans la suite même des Impressionnistes.

Il est d'origine modeste, rurale et découvre sa vocation à l'âge de 13 ans, subjugué par *La fuite en Égypte* de Corot qui se trouve dans la petite église de Rolleboise, village où il est né et où il habitera toute sa vie.

Il aime la nature, l'eau, la campagne et devient essentiellement un peintre paysagiste. Il travaille dehors par tous les temps. Sa peinture est « impressionniste » au vrai sens du terme et nous montre des paysages émouvants pris sur le vif, « enlevés » grâce à l'habileté du dessin et choisis dans leur lumière, leur instant, leur saison les plus favorables.

« Les paysages d'Alfred Veillet sont délicats comme les sites séquaniens qui les ont inspirés », écrit Apollinaire à propos du Salon des Indépendants de 1914.

De très nombreuses toiles représentent des paysages de Rolleboise et ses environs tels *Jeufosse, La Seine à Freneuse, Le grand saule à Méricourt, l'Église de Goupillères, L'Église de Triel.*

En 1917, il décide son ami Maximilien Luce à venir s'installer à Rolleboise où résident déjà quelques peintres américains dont Ridgway Knight. Jean Texcier puis Georges Capon, ainsi que d'autres viendront les rejoindre. Il n'est donc pas exagéré aujourd'hui de rappeler l'existence de cette École de Rolleboise dont Alfred Veillet fut un animateur efficace.

Voir tableaux p. 51, 52, 54, 58, 84, 96.

Victor Vignon

(1847 - 1909)

Victor Vignon, paysagiste et aquafortiste, est né à Villers-Cotterets et mort à Meulan.

Élève de Corot, il devient en 1874 l'ami de Cézanne et de Pissarro. Après plusieurs refus au Salon, il choisit de se rallier aux Impressionnistes et expose avec eux de 1880 à 1886. Il fit en 1884 une exposition qui obtint un grand succès.

Il peint de très nombreux paysages dans notre région, notamment à Bougival, Montesson, Carrières-sur-Seine, Croissy, Chatou, Évecquemont, Louveciennes et Port-Marly, *Saulaie à Bougival, Effet de neige à Montesson, La Seine près de la Grenouillère, Chemin vert près de Chatou,* etc.

S'il fait partie du groupe des Impressionnistes, cet excellent paysagiste n'a jamais atteint leur notoriété. La presque totalité de son œuvre appartient à des collections privées (le musée d'Orsay n'en possède que deux : *Chemin des Frileuses à Évecquement* et *Vue d'Auvers),* c'est dire que la peinture de Vignon, que pourtant Renoir ou Van Gogh appréciaient beaucoup, reste encore inconnue.

Voir tableau p. 49.

Maurice de Vlaminck

(1876 - 1958)

Vlaminck naît à Paris d'un père descendant de marins hollandais et d'une mère lorraine, tous deux mélomanes et professeurs de violon et de piano.

À partir de 1879, ses parents s'installent au Vésinet où il passe sa jeunesse et, tant bien que mal, son certificat d'études primaires, partagé qu'il est entre l'étude du violon, la lecture, la passion du dessin et bientôt celle du vélo. La « petite reine » tient en effet une grande place dans l'adolescence de Vlaminck et lorsqu'on connaît sa carrure d'athlète à 17 ans : 1,80 m, 80 kg, on comprend qu'il soit agité d'un besoin de dépenses physiques que ne lui apporte sûrement pas le violon. Toujours est-il qu'il se lance dans le « professionnalisme » cycliste… Mais en 1896, alors que ses supporters le donnent vainqueur à coup sûr du Grand Prix de Paris, il est atteint d'une fièvre typhoïde aiguë qui met brutalement fin à sa carrière.

Si le sport cycliste perd un favori, la peinture française en tous cas sera largement gagnante, car toute l'énergie de ce colosse va se projeter sur les toiles avec la force d'un lutteur de foire dans un paroxysme de couleurs jamais égalé dans l'histoire de la peinture.

À partir de 1900, il partage son temps entre l'écriture (il publie une quinzaine de livres au cours de sa vie), les leçons de violon qui le font encore vivre, sa femme et ses deux premières filles (il en aura cinq), et surtout la peinture. Il loue avec Derain l'atelier de Chatou et ensemble ils découvrent la peinture de Van Gogh qui arrache à Vlaminck des larmes d'admiration frénétique et qui renforce encore, si besoin était, son goût prononcé pour les couleurs violentes. Van Gogh est d'ailleurs le seul « aîné » qui ait eu grâce aux yeux de Vlaminck qui déteste profondément les « maîtres », les ateliers, les écoles, les musées, sans oublier l'Académie, bref toutes institutions qui irritent son individualisme anarchiste. « Il n'y a pas d'autre modèle que la vie et il ne faut pas confondre servir et être asservi », écrivait-il dans ses jeunes années. Ce fut la ligne constante de ce farouche libertaire.

En 1905, il expose 8 toiles au Salon d'Automne où a lieu la première manifestation des Fauves.

Après Chatou, il s'installe au Hameau de la Jonchère à Bougival, et ce n'est qu'après la guerre de 1914 qu'il quitte les Yvelines. En 1925, il achète une maison en Eure-et-Loir, à Rueil-la-Gadelière où il passe le reste de sa vie. Bien que retiré à la campagne, il n'en reçoit pas moins les collectionneurs du monde entier. Il est devenu très célèbre mais il ne fréquente qu'à de rares occasions le tonitruant Bateau-Lavoir et le Cubisme ne l'intéresse guère.

Peu à peu, le grand fauve se calme, mais il n'empêche, sa peinture est bien celle qui garde, entre toutes, les plus grandes traces des violences colorées de Chatou et s'il est un fauve parmi les fauves, c'est bien lui, Vlaminck. Ne disait-il pas qu'il fallait « peindre avec son cœur et ses reins sans se préoccuper du style » ?...

Voir tableaux p. 23 et 37.

Édouard Vuillard

(1868 - 1940)

Vuillard est né à Cuiseaux, en Saône-et-Loire, mais sa famille s'installe à Paris en 1877. Son père est capitaine en retraite et a 27 ans de plus que sa mère. Si bien que celle-ci se trouve veuve en 1883 et que pour subvenir aux besoins de ses trois enfants, elle ouvre au Marché Saint-Honoré, un atelier de corsèterie. Le quartier n'est pas encore celui de la haute couture, mais seulement celui des dessous et accessoires, ce qui est beaucoup moins reluisant et la famille ne vit pas dans le luxe.

Vuillard fait ses études au lycée Condorcet où il se lie d'amitié avec Ker Xavier Roussel et Maurice Denis. C'est ainsi que ses projets de carrière militaire, à l'exemple de son père, vont peu à peu s'estomper, puis disparaître complètement au plus grand profit de la peinture.

En 1888, Vuillard entre à l'école des Beaux-Arts, puis à l'Académie Jullian. Il rencontre Bonnard, Sérusier, et avec Maurice Denis, Ker Xavier Roussel et quelques autres, ils forment le groupe des Nabis en 1888 (voir la biographie de Maurice Denis).

C'est donc, comme pour Bonnard, grâce à K.X. Roussel qui habite l'Étang-la-Ville et Maurice Denis Saint-Germain-en-Laye, sans oublier Maillol qui est leur ami à tous et qui habite Marly, que Vuillard viendra souvent dans la région. D'autant plus que K.X. Roussel a épousé sa sœur Marie en 1893, qu'ils ont une adorable petite fille et que Vuillard trouve à l'Étang-la-Ville une intimité familiale et un bonheur qu'il laisse transparaître dans ses tableaux d'intérieur, tel *Le peintre K.X. Roussel et sa fille Annette* (1904).

Il faut dire que Vuillard est un célibataire, non pas endurci, mais doux, pudique, indécis et qu'il vit avec sa mère jusqu'à l'âge de 60 ans, c'est-à-dire jusqu'à la mort de celle-ci en 1928.

L'histoire lui prête néanmoins une passion chaste pour Lucie Hessel, femme d'un riche marchand de tableaux, belle, élégante, distinguée. Il la rencontre en 1900, et bien que l'un et l'autre restent dans les termes d'une amitié respectueuse, Vuillard ne cesse, jusqu'à la fin de sa vie, de fréquenter la famille. Il fait d'elle plusieurs portraits. Après la guerre de 1914, pendant laquelle il est mobilisé de 1914 à 1916 comme garde-voie à Conflans-Sainte-Honorine, il l'accompagne souvent à Versailles où, tandis qu'elle vaque à des occupations charitables auprès des blessés de guerre, il va méditer et peindre dans la chapelle du château.

En 1925, les Hessel achètent le château des Clayes à Villepreux près de Versailles, où Vuillard est un pensionnaire assidu et où il peint plusieurs paysages.

Il exécute aussi, tout au long de sa carrière, de grandes décorations chez des amis ou collectionneurs (Natanson) ou dans des édifices publics (Palais de Chaillot) ainsi que des décors de théâtre. Mais ses tableaux d'intérieur restent les plus charmants. Ils décrivent des scènes de la vie quotidienne de ses amis ou de sa famille qu'il représente dans leurs chambres, leurs salons, bureaux ou ateliers, avec une abondance de couleurs et de motifs qui se superposent dans les papiers peints, les rideaux fleuris, les canapés ou les lits, les robes mouchetées, les miroirs à reflets ou les portes entrouvertes. C'est tout un bonheur tranquille que ce cœur solitaire se sera peut-être contenté de ne trouver que chez les autres. En tous cas, s'il existe un peintre du bonheur, c'est bien lui, Vuillard, dont les toiles rayonnantes ne peuvent qu'éclaircir, sur les cimaises des musées, le regard de ceux qui les contemplent.

Voir tableaux p. 48, 71, 115.

Table des matières Index

Préface   6

Introduction   8

Les sites   14

Pour chaque site, outre les œuvres reproduites
dans cet ouvrage, sont signalés les peintres
dont la vie a été liée à un moment ou à un
autre à ce site — ce que le lecteur découvrira
dans leur biographie p. 125 à p. 151.

Andresy
Raymond Fontanet, dit RENEFER
Le Village d'Andresy vu de l'île   15
LEBOURG

Autouillet
Frank BOGGS
Autouillet sous la neige   16

Bennecourt
Claude MONET
Au bord de l'eau, Bennecourt   17
CÉZANNE

La Boissière-École
Ferdinand ROYBET
M. Olympe Hériot et son entourage   18

Bonnières
Paul Cézanne
Vue de Bonnières   19
MONET

Bougival
Berthe MORISOT
Pasie cousant dans le jardin à Bougival   20
Eugène Manet et sa fille au jardin   20
Pierre Auguste RENOIR
La Danse à Bougival   21
Claude MONET
Glaçons sur la Seine à Bougival   22
Maurice de VLAMINCK
Quai de Seine à Bougival   23
Alfred SISLEY
La Seine à Bougival   24
DUNOYER de SEGONZAC, FRANÇAIS,
LEBOURG, PRINS, VIGNON

Carrières-sous-Poissy
Charles MEISSONIER
L'Été (Baignade à Carrières-sous-Poissy)   25

Carrières-sur-Seine
Claude MONET
Carrières-Saint-Denis   26
LEBOURG, RENEFER

La Celle-Saint-Cloud
Alfred SISLEY
*Allée de châtaigniers près
    de La Celle-Saint-Cloud*   27

Cernay
Henri HARPIGNIES
La Mare en forêt (Vaux de Cernay)   28

Léon Germain PELOUSE
Le Matin dans la vallée de Cernay   28
Jean ACHARD
La Cascade du ravin de Cernay-la-Ville   29
Emmanuel LANSYER
La Cascade de Cernay   29

Chambourcy
André DERAIN
Les Chèvres de Chambourcy   30

Chanteloup-les-Vignes
RENEFER
*La rue du Chapitre à
    Chanteloup-les-Vignes*   31

Chatou
André DUNOYER de SEGONZAC
La Seine à Chatou   32
Maurice LELOIR
La Maison Fournaise   32
André DERAIN
Sous-bois à Chatou   33
Pierre Auguste RENOIR
Le Déjeuner des Canotiers   34
Les Canotiers   35
La Seine à Chatou   36
Maurice de VLAMINCK
Le Pont de Chatou   37
LEBOURG, VIGNON

Chavenay
André DUNOYER de SEGONZAC
Les Vergers de Chavenay   38

Table/Index

	Pages
Chevreuse	
Émile LAMBINET	
Le Cours de l'Yvette	39
PRINS	
Civry-en-Forêt	
Jean DESBROSSES	
Civry-en-Forêt	40
Hameau du Cœur Volant	
Camille PISSARRO	
Le Chalet, maison rose	41
Conflans-Sainte-Honorine	
RENEFER	
Paysage à Conflans-Sainte-Honorine	42
LEBOURG, PRINS	
Courgent	
Antoine CHINTREUIL	
La Ferme de Courgent	43
Croissy	
Claude MONET	
La Grenouillère	44
Pierre Auguste RENOIR	
La Grenouillère	45
Maurice UTRILLO	
L'Église de Croissy	46
LELOIR, PRINS, VIGNON, VAN GOGH	
Dampierre	
François Edme RICOIS	
Le Château de Dampierre en 1848	47
LAMI	
L'Étang-la-Ville	
Édouard VUILLARD	
Paysage à l'Étang-la-Ville	48
Portrait de Ker Xavier Roussel dans son atelier	48
BONNARD	
Évecquemont	
Victor VIGNON	
Chemin des Frileuses à Évecquemont	49
Feucherolles	
André DUNOYER de SEGONZAC	
Feucherolles en hiver	50
Freneuse	
Alfred VEILLET	
La Seine à Freneuse	51

	Pages
Goupillères	
Alfred VEILLET	
Église de Goupillères	52
Grosrouvre	
Pierre PRINS	
Meules à Grosrouvre	53
Guernes	
Alfred VEILLET	
Bras de Seine à Guernes	54
Guyancourt	
André DUNOYER de SEGONZAC	
Guyancourt	55
Houdan	
Auguste RODIN	
L'Église Saint-Jacques et Saint-Christophe à Houdan	56
Façade de l'église Saint-Jacques et Saint-Christophe à Houdan	56
BOGGS	
Houilles	
Maurice UTRILLO	
Église de Houilles	57
Jeufosse	
Alfred VEILLET	
La Seine à Jeufosse	58
Jouy-en-Josas	
André DUNOYER de SEGONZAC	
Jouy-en-Josas	59
CHINTREUIL	
Lavacourt	
Claude MONET	
Lavacourt, Soleil et neige	60
Louveciennes	
Alfred SISLEY	
La Neige à Louveciennes	61
Camille PISSARRO	
La route de Louveciennes	62
Louis-François FRANÇAIS	
Coupe de bois à Louveciennes	63
MONET, RENOIR	
Maisons-Laffitte	
Jean-Maxime CLAUDE	
Le Château de Maisons-Laffitte	64

	Pages
Albert LEBOURG	
Bords de Seine près de Maisons-Laffitte	65
Mantes	
Maximilien LUCE	
La Seine à Mantes	66
Charles-François DAUBIGNY	
Les Bords de la Seine à Mantes	66
Jean-Baptiste Camille COROT	
Le Pont de Mantes	67
Alfred SISLEY	
La Route de Mantes	68
Joseph Mallord William TURNER	
Mantes	
BOGGS, RODIN, Le Douanier ROUSSEAU, VEILLET	
Mareil-Marly	
Victor DEROY	
Le Chemin de fer de grande ceinture de Paris : le viaduc de Mareil	70
Marly-le-Roi	
Camille PISSARRO	
Vue de Marly-le-Roi	71
Édouard VUILLARD	
Portrait de Maillol dans son jardin à Marly	71
Alfred SISLEY	
Sous la neige, cour de ferme à Marly-le-Roi	72
L'abreuvoir de Marly	72
Maurice DENIS	
Aqueduc de Marly	73
BONNARD, V. DEROY, DUNOYER de SEGONZAC, FRANÇAIS, HARPIGNIES, LAMBINET, RENOIR	
Maurecourt	
Berthe MORISOT	
Les Lilas à Maurecourt	74
Medan	
Paul CÉZANNE	
Le Château de Medan	75
Méricourt	
Maximilien LUCE	
La Plage à Méricourt	76
VEILLET	
Meulan	
Joseph Mallord William TURNER	
Meulan	77

Pages

Gustave RAVANNE
Le Pont aux perches de Meulan   78
VIGNON

Mezy
Berthe MORISOT
Mezy en automne   79

Millemont
Antoine CHINTREUIL
Pêcheur à l'étang de Millemont   80

Montchauvet
Antoine CHINTREUIL
La Côte de Montchauvet   81

Montfort L'Amaury
Auguste RODIN
Arcs-Boutants de l'église Saint-Pierre
  à Montfort-L'Amaury   82
Contreforts de l'église Saint-Pierre
  à Montfort-L'Amaury   82
Maurice UTRILLO
Montfort-L'Amaury, maison de G. Kahn   83

Les Mureaux
Alfred VEILLET
La Seine aux Mureaux   84
RAVANNE

Noisy-le-Roi
Alfred SISLEY
Le Clocher de Noisy-le-Roi : automne   85

Le Pecq
Maurice DENIS
Viaduc du Pecq,
  vu de l'ancien pont du Pecq   86
André DERAIN
Le Pecq   87

Poissy
Ernest MEISSONIER
Intérieur de l'atelier d'été   88
Claude MONET
Pêcheurs à la ligne sur la Seine à Poissy   89
Charles MEISSONIER
Lavoir à Poissy   90
RENEFER
Sur le motif (à Poissy)   90
COROT, DETAILLE, DUNOYER
de SEGONZAC, TURNER

Pages

Le Port-Marly
Alfred SISLEY
Inondation à Port-Marly   91
LEBOURG

Port-Villez
Claude MONET
Brume sur la Seine (ou La Seine à Port-Villez)   92

Rambouillet
James FORBES
Vue du Château de Rambouillet
  avec les Écuries royales   93
Jean-Jacques CHAMPIN
Chasse royale à l'étang de la Tour,
  en forêt de Rambouillet,
  le 18 septembre 1826   94
LAMBINET, LAMI

Rolleboise
Jean-Baptiste Camille COROT
L'Église de Rolleboise, près de Mantes   95
Alfred VEILLET
Péniches à Rolleboise   96
LUCE

Rosny
Jean-Baptiste Camille COROT
Rosny, le château de la duchesse de Berry   97
Isidore DEROY
Rosny vu du village de Rolleboise   97

Saint-Germain-en-Laye
Ernest MEISSONIER
Au Tournebride
  (Tournebride en forêt de Saint-Germain)   98
Edouard DETAILLE
Revue des Guides dans le parc de
  Saint-Germain-en-Laye, le 15 août 1866   99
Maurice DENIS
Le Dessert au jardin   100
Autoportrait devant le Prieuré   100
Joseph Mallord William TURNER
Saint-Germain-en-Laye   101
François BONVIN
Convalescence   102
Intérieur, rue des Coches   102
Henri ROUSSEAU, dit Le Douanier
Promenade en forêt de Saint-Germain   103
BONNARD, LAMI, LEBOURG, MONET

Septeuil
Antoine CHINTREUIL

Pages

Paysage, le Val d'Enfer
  (Étude au Léopard)   104
DESBROSSES

Tacoignières
Antoine CHINTREUIL
Les Fonds de Tacoignières   105

Thoiry
Frank BOGGS
Thoiry   106

Triel
André DUNOYER de SEGONZAC
La Seine à Triel   107
LEBOURG, PRINS, VEILLET

Vernouillet
Pierre BONNARD
Le Train et les chalands   108
Premier Printemps, les petits faunes   109

Versailles
Eugène LAMI
Souper donné par Napoléon III en l'honneur
  de la Reine Victoria dans l'Opéra
  du Château de Versailles, le 25 août 1855   110
Henri LE SIDANER
Façade du Musée Lambinet,
  un soir d'automne   111
Roses du Trianon   112
Maurice UTRILLO
Trianon   113
André DUNOYER de SEGONZAC
La Chapelle du Château de Versailles   114
Edouard VUILLARD
La Chapelle du Château de Versailles   115
DAUBIGNY, LAMBINET, LEBOURG,
RENOIR

Le Vésinet
Camille PISSARRO
Les Coteaux du Vésinet   116
Maurice UTRILLO
Notre Jardin   117
DENIS, DERAIN, LEBOURG, VLAMINCK

Vicq (La Bardelie)
Frank BOGGS
L'Église de Vicq   118
Bardelle   118

Villennes-sur-Seine
Maurice UTRILLO

	Pages			Pages			Pages

Église de Villennes-sur-Seine — 119
CÉZANNE, LEBOURG

Villepreux
André DUNOYER de SEGONZAC
La Campagne de Villepreux en juin — 120

Viroflay
Maurice UTRILLO
Église de Viroflay — 121

Voisins
Alfred SISLEY
Le Village de Voisins — 122
Camille PISSARRO
Entrée du village de Voisins — 123

Les peintres (biographies)

ACHARD Jean-Alexis — 125
La Cascade du ravin de Cernay-la-Ville — 29

BOGGS Franck — 125
Autouillet sous la neige — 16
Thoiry — 106
L'Église de Vicq — 118
Bardelle (Vicq) — 118

BONNARD Pierre — 125
Le Train et les chalands — 108
Premier printemps, les petites faunes — 109

BONVIN François — 126
Convalescence — 102
Intérieur, rue des Coches — 102

CÉZANNE Paul — 127
Vue de Bonnières — 19
Le Château de Medan — 75

CHAMPIN Jean-Jacques — 127
*Chasse royale à l'Étang de la Tour
 en forêt de Rambouillet,
 le 18 septembre 1826* — 94

CHINTREUIL Antoine — 128
La Ferme de Courgent — 43
Pêcheur à l'étang de Millemont — 80
La Côte de Montchauvet — 81
*Paysage, le Val d'Enfer
 (Étude au Léopard)* — 104
Les Fonds de Tacoignières — 105

CLAUDE Jean-Maxime — 129
Le Château de Maisons-Laffitte — 64

COROT Jean-Baptiste Camille — 129
Le Pont de Mantes — 67
L'Église de Rolleboise, près de Mantes — 95
Rosny, le château de la Duchesse de Berry — 97

DAUBIGNY Charles-François — 130
Les bords de la Seine à Mantes — 66

DENIS Maurice — 130
Aqueduc de Marly — 73
*Viaduc du Pecq
 vu de l'ancien pont du Pecq* — 86
Le Dessert au jardin — 100
Autoportrait devant le Prieuré — 100

DERAIN André — 131
Les Chèvres de Chambourcy — 30
Sous-bois à Chatou — 33
Le Pecq — 87

DEROY Isidore — 132
Rosny vu du village de Rolleboise — 97

DEROY Victor — 132
*Le Chemin de Fer de grande ceinture de
 Paris : le viaduc de Mareil* — 70

DESBROSSES Jean — 128
Civry-en-Forêt — 40

DETAILLE Édouard — 133
*Revue des Guides dans le Parc de Saint-
 Germain-en-Laye, le 15 août 1866* — 99

DUNOYER de SEGONZAC André — 133
La Seine à Chatou — 32
Les Vergers de Chavenay — 38
Feucherolles en hiver — 50
Guyancourt — 55
Jouy-en-Josas — 59
La Seine à Triel — 107
La Chapelle du Château de Versailles — 114
La Campagne de Villepreux en juin — 120

FORBES James — 134
*Vue du Château de Rambouillet
 avec les Écuries royales* — 93

FRANÇAIS Louis-François — 134
Coupe de bois à Louveciennes — 63

HARPIGNIES Henry — 135
La Mare en forêt (aux Vaux-de-Cernay) — 28

LAMBINET Émile — 135
Le Cours de l'Yvette — 39

LAMI Eugène — 136
*Souper donné par Napoléon III
 en l'honneur de la Reine Victoria dans l'Opéra*

*du Château de Versailles
le 25 août 1855)* — 110

LANSYER Emmanuel — 136
La Cascade de Cernay — 29

LEBOURG Albert — 137
Bords de Seine près de Maisons-Laffitte — 65

LELOIR Maurice — 137
La Maison Fournaise — 32

LE SIDANER Henri — 138
*Façade du musée Lambinet, un soir
 d'automne* — 111
Roses du Trianon — 112

LUCE Maximilien — 138
La Seine à Mantes — 66
La Plage à Méricourt — 76

MEISSONIER Charles — 139
L'Été (Baignade à Carrières-sous-Poissy) — 25
Lavoir à Poissy — 90

MEISSONIER Jean-Louis Ernest — 139
Intérieur de l'atelier d'été — 88
*Au Tournebride (Tournebride en forêt de
 Saint-Germain)* — 98

MONET Claude — 140
Au bord de l'eau, Bennecourt — 17
Glaçons sur la Seine à Bougival — 22
Carrières-Saint-Denis — 26
La Grenouillère — 44
Lavacourt, Soleil et neige — 60
Pêcheurs à la ligne sur la Seine à Poissy — 89
*Brume sur la Seine
 (ou la Seine à Port-Villez)* — 92

MORISOT Berthe — 141
Pasie cousant dans le jardin à Bougival — 20
Eugène Manet et sa fille au jardin — 20
Les Lilas à Maurecourt — 74
Mezy en automne — 79

PELOUSE Léon Germain — 142
Le Matin dans la Vallée de Cernay — 28

PISSARRO Camille — 142
*Le Chalet, maison rose (Hameau
 de Cœur Volant)* — 41
La Route de Louveciennes — 62
Vue de Marly-le-Roi — 71
Les Coteaux du Vésinet — 116
Entrée du village de Voisins — 123

PRINS Pierre — 143
Meules à Grosrouvre — 53

	Pages			Pages			Pages
RAVANNE Gustave	144		ROUSSEAU Henri, dit LE DOUANIER	146		(route des Bouleaux, au Vésinet)	117
Le Pont aux perches de Meulan	78		*Promenade en forêt de Saint-Germain*	103		*Église de Villennes-sur-Seine*	119
						Église de Viroflay	121
RENEFER Raymond Fontanet, dit...	144		ROYBET Ferdinand	147			
Le Village d'Andresy vu de l'île	15		*M. Olympe Hériot et son entourage*	18		VEILLET Alfred	149
Rue du Chapitre à Chanteloup-les-Vignes	31					*La Seine à Freneuse*	51
Paysage à Conflans-Sainte-Honorine	42		SISLEY Alfred	147		*Église de Goupillères*	52
Sur le motif (à Poissy)	90		*La Seine à Bougival*	24		*Bras de Seine à Guernes*	54
			Allée de châtaigniers			*La Seine à Jeufosse*	58
RENOIR Pierre Auguste	144		*près de la Celle-Saint-Cloud*	27		*La Seine aux Mureaux*	84
La Danse à Bougival	21		*La neige à Louveciennes*	61		*Péniches à Rolleboise*	96
Le Déjeuner des canotiers	34		*La route de Mantes*	68			
Les Canotiers	35		*Sous la neige, cour de ferme à Marly-le-Roi*	72		VIGNON Victor	150
La Seine à Chatou	36		*L'Abreuvoir de Marly*	72		*Chemin des Frileuses à Évecquemont*	49
La Grenouillère	45		*Le clocher de Noisy-le-Roi : automne*	85			
			Inondation à Port-Marly	91		VLAMINCK Maurice de	150
RICOIS François Edme	146		*Le village de Voisins*	122		*Quai de Seine à Bougival*	23
Le Château de Dampierre en 1848	47					*Le Pont de Chatou*	37
			TURNER Joseph Mallord William	148			
RODIN Auguste	146		*Mantes*	69		VUILLARD Édouard	151
L'Église Saint-Jacques et			*Meulan*	77		*Paysage à l'Étang-la-Ville*	48
Saint-Christophe à Houdan	56		*Saint-Germain-en-Laye*	101		*Portrait de Ker-Xavier Roussel*	
Façade de l'église Saint-Jacques						*dans son atelier*	48
et Saint-Christophe à Houdan	56		UTRILLO Maurice	149		*Portrait de Maillol dans son jardin à Marly*	71
Arcs-boutants de l'église Saint-Pierre			*L'Église de Croissy*	46		*La Chapelle du Château de Versailles*	115
à Montfort-L'Amaury	82		*Église de Houilles*	57			
Contreforts de l'église Saint-Pierre			*Montfort-L'Amaury, Maison de G. Kahn*	83		Remerciements	157
à Montford-L'Amaury	82		*Trianon*	113		Crédits photographiques	158
			Notre Jardin				

Remerciements

Cet ouvrage n'aurait pu voir le jour sans le concours de ceux qui,
tout au long de son élaboration, m'ont apporté leurs conseils et leur soutien.
Je tiens à remercier particulièrement :

Les Maires des Yvelines qui ont accepté de m'aider dans mes recherches
Le Conseil Général des Yvelines pour le Musée Départemental du Prieuré
M. Agamemnon, Conservateur du Musée Maximilien Luce à Mantes
Mme Annie Bellin-Altherr
M. Bertauld, Secrétaire Général de l'Association des Amis de la Maison Fournaise à Chatou
M. Pierre Bourut
M. Philippe Brame
M. Pierre Cabanne, Historien et Critique d'art
Mlle Élisabeth Colas
Mme Damamme, Conservateur des Musées de Poissy
Mme Denis, Conservateur du Musée Promenade de Marly-Louveciennes
M. Didier Duraffourg, Directeur Général des Services de l'Assemblée
et de la Présidence du Conseil Général des Yvelines
M. et Mme René Gachet, amateurs d'art et bibliophiles
M. J.-L. Grumel
M. Jean Humbert, Conservateur au Musée de l'Armée à Paris
M. François Lespinasse, Historien d'art
Mme Edda Maillet, Conservateur des Musées de Pontoise
M. Padiou
Mme Query
M. Michel Rival, du service photo de la Bibliothèque Nationale
M. Clément Rouart
M. et Mme Philippe Schubert
Mme Sublémontier
Mme Geneviève Taillade de l'Association « Les Amis d'André Derain »
Mme Suzanne Veillet

Crédits
photographiques